聖賢之道

湯一介

戊子年夏

弟子规

房春草◎编注

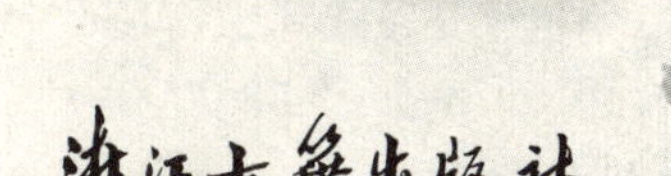

图书在版编目（CIP）数据

弟子规 / 房春草编注．— 杭州：浙江古籍出版社，2013.9

国学基本教材

ISBN 978-7-5540-0090-8

Ⅰ．①弟… Ⅱ．①房… Ⅲ．①古汉语－启蒙读物 Ⅳ．① H194.1

中国版本图书馆 CIP 数据核字（2013）第 176311 号

弟子规

房春草 编注

出版发行 浙江古籍出版社
（杭州体育场路 347 号 电话：0571-85176986）
网 址 www.zjguji.com
责任编辑 陈临士 潘铭明
特约编辑 王 慧 胡乐萌
责任校对 余 宏
美术编辑 刘 欣
责任印务 贾 敏
照 排 杭州立飞图文制作有限公司
印 刷 富阳美术印刷有限公司
开 本 880 × 1230 1/32
印 张 5.625
字 数 132 千字
版 次 2013 年 9 月第 1 版
印 次 2013 年 9 月第 1 次印刷
书 号 ISBN 978-7-5540-0090-8
定 价 11.00 元

“国学基本教材”编辑委员会

统　　筹：

孙劲松　向　珂　蒋蔚芳　周金芝

主　　编：李耐儒

编　　委：

李南晖　陆有富　刘乃溪　徐　骆　须　强
可延涛　李　凯　刘　舫　毛文琦　房春草
李宏哲　张　华　黄晓芳　赵立学　介江岭
张志强　姜李勤　白　坤　晏子然　施仲贞
张　琰　汪佳敏　姚之均　余雅汝　干璐娜

本册编注：房春草

总 序

秋霞圃书院创办有年，在民间推动国学普及工作，志在以独立之精神、自由之思想为宗旨，促进古今中外文化思想与学术的交流，为中华民族文化的复兴而尽心尽力。其志可嘉，其行可感！

近年，秋霞圃书院耐儒兄主持编撰“国学基本教材”。本套国学教材集复旦大学、武汉大学、南开大学、中山大学、华东师范大学、上海师范大学等名牌院校的二十多名青年学人，采各种版本的国学读本之长，广泛吸取中小学一线语文教师的教学经验，精心编撰，是中小学生比较理想的国学读本，也是便于教师们使用的、较为系统的国学教材。

读本的篇目有:《弟子规》、《三字经》、《千字文》、《千家诗选读》、《幼学琼林》、《诗词格律》、《唐诗选读》、《宋词选读》、《论语》（上、下）、《史记选读》（上、下）、《大学　中庸》、《诗经选读》、《孟子》（上、下）、《左传选读》、《颜氏家训》、《诸子文选》（上、下）、《汉魏六朝文选》、《唐宋文选》、《礼记选读》、《楚辞选读》。每册有指导性概述，有经典原文，有对原文的注释与新译（赏析），并配上文史链接（延伸阅读）、思考讨论等，图文并茂，准确生动，具有可读性与系统性。

梁启超先生说过，《论语》、《孟子》等经典“是两千年国人思想的总源泉，支配着中国人的内外生活，其中有益身心的圣哲格言，一部分久已在我们全社会形成共同意识，我们既做这社会的一分子，总要彻底了解它，才不致和共同意识生隔阂”。这就是说，“四

书”等经典表达了以“仁爱”为中心的“仁义礼智信”等中华民族的核心价值观念，这是中国古代老百姓的日用常行之道，人们就是按此信念而生活的。

中国文化的大传统与小传统是打通了的。国学具有平民化与草根性的特点。中国民间流传着的谚语是：“勿以善小而不为，勿以恶小而为之”；“老吾老以及人之老，幼吾幼以及人之幼”；“积善之家必有余庆，积不善之家必有余殃”。这些来自中国经典的精神，透过《弟子规》、《三字经》、《百家姓》、《千字文》、《千家诗》等蒙学读物及家训、族规、乡约、谱牒、善书，通过大众口耳相传的韵语故事、俚曲戏文、常言俗话，成为“百姓日用而不知”的言行规范。

南宋以后在我国与东亚的民间社会流传甚广、深入人心的朱熹《家训》说:“事师长贵乎礼也,交朋友贵乎信也。见老者,敬之;见幼者，爱之。有德者，年虽下于我，我必尊之；不肖者，年虽高于我，我必远之。”“人有小过，含容而忍之；人有大过，以理而谕之。勿以善小而不为，勿以恶小而为之。”又说，“勿损人而利已，勿妒贤而嫉能。勿称忿而报横逆，勿非礼而害物命。见不义之财勿取，遇合理之事则从……子孙不可不教，童仆不可不恤。斯文不可不敬，患难不可不扶。”朱子说此乃日用常行之道，人不可一日无也。应当说，这些内容来源于诗书礼乐之教、孔孟之道，又十分贴近大众。它内蕴着个人与社会的道德，长期以来成为老百姓的生活哲学。

王应麟的《三字经》开宗明义：“人之初，性本善。性相近，习相远。苟不教，性乃迁。教之道，贵以专。”这就把孔子、孟子、荀子关于人性的看法以简化的方式表达了出来。儒家强调性善，又强调人性的养育与训练。

清代李毓秀《弟子规》的总序说："弟子规，圣人训。首孝弟，次谨信。泛爱众，而亲仁，有余力，则学文。"以下分成"入则孝"、"出则悌"、"谨而信"、"泛爱众而亲仁"等几部分。这些纲目都来自《论语》。《弟子规》中对孩童举止方面的一些要求，如站立时昂首挺胸、双腿站直，见到长辈主动行礼问好，开门关门轻手轻脚，不用力甩门等，这些规范都是文明人起码应有的，是尊重他人而又自尊的体现。又如："晨必盥，兼漱口，便溺回，辄净手。冠必正，纽必结，袜与履，俱紧切。""斗闹场，绝勿近，邪僻事，绝勿问。将入门，问孰存，将上堂，声必扬。""用人物，须明求，倘不问，即为偷。借人物，及时还，后有急，借不难。"这都是有助于文明社会的建构的，是文明人的生活习惯，也是今天社会公德的基础。

朱柏庐在《朱子治家格言》起首的一段说："黎明即起，洒扫庭除，要内外整洁；既昏便息，关锁门户，必亲自检点。一粥一饭，当思来处不易；半丝半缕，恒念物力维艰。"这些都是平实不过的道理，体现到一个人身上就是他的家教。旧时骂人，说某某没有家教，那是很重的话，让其全家蒙羞。我们不是要让青少年一定要做多少家务，而是要他们从小学就动手打理好自己与家庭的事情，不要过分依赖父母，依赖他人，能够自己挺立起来，培养责任意识。同时，知道一粥一饭、半丝半缕都是辛劳所得，我们能够懂得去尊重家长与别人的劳动。如果我们真的有敬畏之心，就知道珍惜，不应该浪费。

南开中学的前身天津私立中学堂成立于1904年10月，老校长严范孙亲笔写下"容止格言"："面必净，发必理，衣必整，纽必结。头容正，肩容平，胸容宽，背容直。气象：勿傲，勿暴，勿怠。颜色：宜和，宜静，宜庄。"这四十字箴言来自蒙学，又是该校对学生容貌、行止的基本要求。校内设整容镜，师生进校时都要照镜正容色。

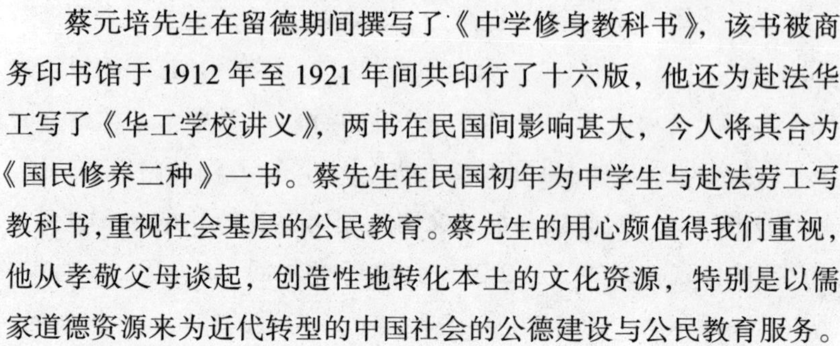

后来张伯苓先生治校，坚持了这些做法。

蔡元培先生在留德期间撰写了《中学修身教科书》，该书被商务印书馆于1912年至1921年间共印行了十六版，他还为赴法华工写了《华工学校讲义》，两书在民国间影响甚大，今人将其合为《国民修养二种》一书。蔡先生在民国初年为中学生与赴法劳工写教科书,重视社会基层的公民教育。蔡先生的用心颇值得我们重视，他从孝敬父母谈起，创造性地转化本土的文化资源，特别是以儒家道德资源来为近代转型的中国社会的公德建设与公民教育服务。

现今南京夫子庙小学的校训是“亲仁、尚礼、志学、善艺”。我认为这是非常好的。对孩童、少年的教育，首先是培养健康的心性才情，从日常生活习惯，从待人接物开始，学会自重与尊重别人。

我们今天强调成人教育，因为仅有成才教育是不够的，成才教育忽略了我们作为完整的人、健康的人所必需的一些素养，它在人格养成方面几乎是空白。这不是大学教育才有的问题，而是幼儿园、中小学教育就该关注的。养育青少年的性情，需要家庭、学校、社会的配合。

国学当中有很多修身成德、培养君子人格的内容。中国古典的教育，其实就是博雅教育。传统的教育并不是道德说教，也不是填鸭式满堂灌的教育，而是春风化雨似的，让学生在点滴中有所收获并自己体验，如诗教、礼教、乐教等。

我觉得应该让孩子们处在良好的文化氛围中。家长、老师们要以身作则、言传身教，这对孩子们影响很大。家长、老师有义务端正自己的言行，尤其在孩子们面前。要培养孩子分辨是非的能力，多在性情教育上下工夫，关注孩子的心理健康，多与孩子交流，洞察他们的情感，并作正确的引导。现在一些家长做不到以身作则，他们撒谎骗人，打骂斗狠，不尊重老人，这些都会给孩子的成长烙下负面的印记。

我们也希望同学们能趁着年轻记性好，多读些经典，最好能背诵一些，其中的意思以后可以慢慢领悟。南宋思想家陈亮说过："童子以记诵为能，少壮以学识为本，老成以德业为重……故君子之道不以其所已能者为足，而尝以其未能者为歉，一日课一日之功，月异而岁不同，孜孜矻矻，死而后已。"

本丛书所收经典与蒙学读物中有很多圣哲格言，都足以让我们受用终身。我们一直希望能有多一些的国学经典进入中小学课堂，至少让"四书"进入教材。我们希望能多一些国文课，让中小学生能接受到系统的传统语言与文化教育。中华民族有很多优根性，更需大大弘扬。

是为序。

郭齐勇

癸巳春于珞珈山

目 录

概　述

《弟子规》是诸多儿童启蒙读物中专门讲为人处世的。它的第一作者是清朝康熙年间的秀才李毓秀，他将《论语·学而》篇第六条“弟子入则孝，出则弟，谨而信，泛爱众，而亲仁。行有余力，则以学文”的文义分为五个部分，并以三字一句、两句一韵的形式加以演述，编撰成一份《训蒙文》，具体列举出为人子弟在家、出外、待人接物、求学应有的礼仪与规范，特别讲求家庭教育与生活教育。后经清朝贾存仁修订改编，改名为《弟子规》，是旧时启蒙养正，教育子弟敦伦尽分、防邪存诚、养成忠厚家风的最佳读物。

《弟子规》体现的是中国古代的教育思想，但对于今天的儿童来说，它同样有着不容忽视的价值。因为它所讲的为人处世的基本道理，是有着普世价值的行为规范。对父母要尽孝道，与兄弟姐妹要和睦相处，为人要谦虚谨慎、讲诚信、有仁爱之心，这些都是放之四海而皆准的道理和准则，是古人留给我们的一笔宝贵的精神遗产，值得我们好好继承。

作为重要性可以和《三字经》等量齐观的儿童启蒙读物，《弟子规》辉煌过，也没落过。辉煌时，曾被官方政府设定为私塾和义学的必读教材；没落时，曾遭到一些激进人士不

切实际的歪曲和批判。毋庸讳言,《弟子规》是一本宣讲儒家伦理道德的书，宣扬的是封建时代的处世哲学、人性论和道德观。“时运交移，质文代变”，以今天的眼光来看，它的某些内容确实和时代精神相背离了，甚至不乏陈腐和荒谬的说教。糟粕虽偶有之，但更多的是精华！《弟子规》所宣扬的孝、悌、谨、信和仁爱，都是现代人正在日渐缺失的东西。教子当在幼时，这正是我们重新编排《弟子规》的原因。但我们的目的并不是简单地复古，而是在尽量不违背原意的前提下，本着时代的精神加以阐释，对合理的内容力求讲细讲透，讲清其适用范围；对明显不适合儿童仿效的陈腐说教，我们加以辨析，让孩子们知道那是错的，现在应该怎样做。总之，套用一句老话，我们是“取其精华，弃其糟粕”，让它更好地指引少年儿童健康成长。

和其他启蒙读物一样,《弟子规》也是押韵的。它的基本格式是三字一句，两句一韵，每二至四句表达一个中心意思。我们在编排时也基本上遵照了这个格式，或四句一节，或八句一节，并没有强求一致。因为过于僵化的格式会造成意义上的分割，既无形中增加了讲解的困难，也不利于儿童的接受。此外,在每一节中,本书设立了“注释”、“译文”、“解读”、“经典故事”和“思考讨论”这些栏目，以帮助孩子们在理解文意的基础上，拓宽知识面，并学会思考。

和市面上诸多解释《弟子规》的图书不同的是,我们对《弟子规》所做的工作是“旧瓶装新酒”:“旧瓶”是文章的原意,我们不想改变;“新酒”是时代的精神,我们要将之注入其中。我们要让孩子们既吸收到古代教育精神的营养，又不至于陷入复古的泥潭，这是本书的宗旨，也是本书的特色。

第一章　总　叙

dì zǐ guī shèng rén xùn
弟子规[1]，圣人训[2]。
shǒu xiào tì cì jǐn xìn
首孝弟[3]，次谨信[4]。
fàn ài zhòng ér qīn rén
泛爱众，而亲仁[5]。
yǒu yú lì zé xué wén
有余力，则学文[6]。

注释

[1]弟子:学生，门徒。这里也包含有子女的意思。规:规范，行动的准则。　[2]圣人:德高望重、有大智、已达到人类最高最完美境界的人，这里专指孔子。训:教育，教导。　[3]首:首先，最重要的。弟:通“悌(tì)”，敬爱哥哥，引申为对长辈和上级的顺从。这里应理解为“友爱”。　[4]次:其次，次要的是。谨:谨慎，小心。　[5]仁:有仁德的人。　[6]文:典章文献。这里应理解成“文化知识”。

译文

《弟子规》是圣人孔子的教导。首先要孝顺父母，友爱兄弟；其次要谨慎诚实，守信用。要博爱大众，亲近有仁德的人。在努力实行的同时，一有多余的时间和精力，就要学习典章文献等文化知识。

解读

《弟子规》是从《论语·学而》篇摘录出来的，是儒家的经典。这里所说的圣人，从狭义上讲，是指孔子，但从广义来说，只要是古圣先贤、列祖列宗，他们有好的典范，值得我们后人学习的，对于我们来说，都是“训”，都是教导。

圣贤给我们立的规范是什么呢？那就是教我们应该如何从家庭、从自身做起。圣贤认为我们最先要做到的就是孝敬父母，和兄弟姐妹彼此友爱、互相照顾。父母和兄弟姐妹都是我们最亲近的人，如果我们和他们都相处不好的话，又怎么和其他人相处呢？

其次,圣贤还要求我们做到“谨”和“信”。谨就是小心，就是克制自己，只有克制自己的言行举止，我们才能不伤害别人，才能赢得别人的尊重；信就是诚实，就是真诚，只有真诚待人，不说谎话，我们才能得到别人的信任，才能把事情干好。

当我们懂得克制自己的言行举止之后，还要更进一步去帮助、去爱一切大众。一个人无论善恶美丑、高低贵贱，我们都应该在人格上尊重他们。能做到这一点是不容易的，这就需要我们有一颗博爱的心，用心去关爱别人、帮助别人。只有这样，我们才能得到别人的关爱和帮助，这个社会才会和谐。

我们还要亲近有仁德、品德高尚的人。一个有品德有修养的人，他的言语和行为都足以成为我们的典范。所以如果我们有机会碰到这样的良师益友，一定要好好地向他学习。

上面讲的都是做人的道理，它教我们做一个真诚的人，一个善良的人，一个有孝心的人，一个彬彬有礼的人，一个受人欢迎的人。但是不是这样就够了呢？不是的。我们还要不断地学习。只有学习，我们才能不断地丰富自己、充实自己，使自己的人生更有意义。

经典故事

伯俞泣杖

韩伯俞是汉代梁州人，他生性孝顺，能事先察觉母亲的心意，顺承母亲的心意办事，所以深得母亲欢心。尽管母亲对他非常疼爱，但也十分严厉，偶尔也会因他做错事而发火，用手杖打他。每当这时，伯俞就会低头躬身地受挨打，不加辩解也不哭号。直等母亲打完了，气也渐渐消了，他才和颜悦色地低声向母亲谢罪，母亲也就转怒为喜了。

后来有一次，母亲又因故生气，举杖打他，但是由于年高体弱，打在身上一点也不重。伯俞忽然哭了起来，母亲感到十分奇怪，问他：“以前打你时，你总是不言声，也未曾哭泣。现在怎么这样难受？难道是因为我打得太疼吗？”伯俞忙说：“不是不是，以前挨打时，虽然感到很疼，但是因为知道您身体健康，我心中庆幸以后母亲疼爱我的日子还很长，可以常在您身边伺候您。今天母亲打我，我一点儿也不觉得疼，可见母亲已精力衰迈，所以我心里悲哀，才情不自禁地哭泣。”韩母听了，将手杖扔在地上，把他扶了起来，被儿子的孝心感动得哭了起来。

思考讨论

《弟子规》是古代的圣贤留给我们的教导。你觉得圣贤为什么要把“孝”和“悌”放在所有教导的第一位呢？

第二章　入则孝

fù mǔ hū，yìng wù huǎn。
父母呼[1]，应勿缓[2]。
fù mǔ mìng，xíng wù lǎn。
父母命[3]，行勿懒[4]。
fù mǔ jiào，xū jìng tīng。
父母教，须敬听。
fù mǔ zé，xū shùn chéng。
父母责，须顺承[5]。

注释

[1]呼：呼叫，呼唤。　[2]应：答应。勿：不要。缓：迟缓。　[3]命：命令，要求。　[4]行：行动。　[5]顺：恭顺。承：应承，承受。

译文

听到父母呼叫时，应该立即答应并尽快赶到父母身边，不要怠慢。如果父母交代做什么事，应该抓紧按父母的要求去做，不要懒惰。父母讲解为人处世的道理时，应该虚心恭敬地听从。犯了错误，父母进行责备时，应该恭顺地承认错误，不要和父母顶撞。

解读

在古代，父母对子女具有绝对权威，子女和父母是没有道理可讲的。“子不言父过”，即使父母真的做错了，做子女的也应该逆来顺受。“父母责，须顺承”就带有这种旧式伦理道德的影子。以现在的眼光来看，这种观点就有些陈腐了。父母的责备，不一定都是正确的，这时候，我们完全可以据理力争，但要讲究说话方式，应该摆事实讲道理，语气尽量温和。

总之，“父母责，须顺承”不是不辨是非，而是要多从说话方式的角度来理解。

经典故事

单衣顺母

周朝的闵（mǐn）损，字子骞（qiān），是个孝子。母亲早逝，父亲怜他衣食难周，便再娶后母照料闵子骞。几年后，后母生了两个儿子，待闵子骞渐渐冷淡了。

有一年，冬天快到了，父亲未归，后母做棉衣时偏心，给亲生儿子用厚厚的棉絮，而给闵子骞用芦花絮。一天，父亲回来了，叫闵子骞帮着拉车外出。外面寒风凛冽，闵子骞衣单体寒，不断打颤。父亲看了很生气，就抽打他。但闵子骞默默忍受，什么也不对父亲说。后来绳子把子骞肩头的棉布磨破了。父亲看到棉布里的芦花，知道儿子受后母虐待，回家后便要休妻。闵子骞看到后母和两个小弟弟抱头痛哭，

闵子骞单衣顺母

难分难舍，便跪求父亲说："母亲如果在，只有儿一人稍受单寒；若驱出母亲，三个孩儿均会受寒。"子骞的孝心感动了后母，使其痛改前非。自此母慈子孝，合家欢乐。

思考讨论

家里的花猫将爸爸心爱的钢笔碰到地上摔坏了，爸爸回来后误以为是你弄坏的，在气头上狠狠地责骂了你一顿。你辩解说不是你做的，但爸爸认为你做错了事还不诚实，更加生气。这时，你应该如何做呢？

dōng zé wēn xià zé qìng
冬则温[1]，夏则清[2]，
chén zé xǐng hūn zé dìng
晨则省[3]，昏则定[4]。
chū bì gào fǎn bì miàn
出必告[5]，反必面[6]，
jū yǒu cháng yè wú biàn
居有常[7]，业无变[8]。

注释

[1]则:就。温:温暖。这里是“使……感到温暖”的意思。[2]清:清凉。这里是“使……感到清凉”的意思。 [3]省:安慰，问候。 [4]昏:傍晚。 [5]告:禀告。[6]反:通“返”，返回。面:面见，露面。 [7]常:固定，保持常规。 [8]业:事业，从事的工作。

译文

（孝顺的孩子）在寒冷的冬天里就使父母感到温暖，在炎热的夏季就设法让他们觉得凉爽。早上起床后就探望父母，请问身体是否安好；傍晚回来也一定向父母问安。外出时先告诉父母要到哪里去；回家以后一定面见父母，让他们感到心安。日常生活起居作息有一定的规律，对于所从事的工作，不随便改变。

解读

我们对父母应该尽的这种孝心，到底应该从哪里开始

做？就是从关怀父母的起居开始。冬天要留意父母穿得是否温暖，居处是否暖和；夏天要考虑父母是否感到凉爽。每天早上要记得起来第一件事情，就是向父母问候，道声早安。同时还要关心一下昨天睡得好不好。这些都是我们为人子女在家里对父母应该有的态度。现在生活环境变了，我们不可能像古人那样晨昏定省，但是有一样不能变，就是关心体贴父母的这种精神，这样才是一个有孝心的好孩子。

我们孝顺父母，光是问寒问暖是不够的，还要不能让他们为我们担心。所以我们在出门的时候要跟父母打个招呼，告诉他们要到哪里去，什么时候回来；回来的时候也要跟父母报告讲明，让他们看到你安全地回来，使他们宽心。我们还要照顾好自己，生活作息要有一定规律，有规律地生活，才有健康的身体。如果我们不懂得节制，不晓得如何保养自己的身体，生活不正常，也会让父母为我们担心。对于所从事的工作，我们不要轻易改变，如果经常更换，就容易一事无成，父母当然也会为我们操心，这些都是为人子女应该避免的。

总之，这八句话都是在讲我们应该如何来孝养父母。所谓的冬温夏凊、晨昏定省，就是在说我们要时刻把父母记在心上，要像他们关心我们那样关心他们。我们日常生活起居，也应该懂得如何来照顾自己，生活方面、事业方面都应该懂得自己如何来安排规划，以免让父母操心。能做到这样，才算是一位真正的孝子。

经典故事

做儿子的规矩

大文豪鲁迅先生非常孝顺自己的母亲。他在北京买下房子后，立即把母亲接到北京。等母亲来到阜成门家中后，他将最好的大房子让母亲住，将屋后一间简陋的小房充当自己的书房兼卧室。

鲁迅那时已经四十余岁，但还是像小时候一样，外出上班一定要到母亲那里说声："阿娘，我出去哉！"回家时也一定要向母亲说声："阿娘，我回来哉！"每当晚餐过后，他总伴着母亲聊一会儿天，然后回到书房工作。他每领到薪水，照例要给母亲买她爱吃的糕点，让母亲挑选后，才将剩下的留下自用。除了交出一个月的家用，他还每日给母亲二十六元零花钱。如此种种，在鲁迅生活中已成为一种做儿子的规矩。

思考讨论

在古代农耕社会时期，普通老百姓不轻离乡土，而且要继承家业，所以，《弟子规》里说要"居有常，业无变"。现在时代环境不同了，我们不可能永远围绕在父母的身边，而是要敢闯敢拼，敢于干自己的事业，不怕失败。当我们在外干自己事业的时候，要像古人那样"晨昏定省"显然是不现实的，这是否就意味着我们不孝顺了呢？

shì suī xiǎo wù shàn wéi
事虽小[1]，勿擅为[2]，
gǒu shàn wéi zǐ dào kuī
苟擅为[3]，子道亏[4]。
wù suī xiǎo wù sī cáng
物虽小，勿私藏[5]，
gǒu sī cáng qīn xīn shāng
苟私藏，亲心伤[6]。

注释

[1]虽：即使。 [2]擅：自作主张，随意。为：做，行动。 [3]苟：如果。 [4]子道：指为人子女应懂得的道理和应尽的本分。道，道理、本分。亏：缺欠，损失。[5]私：秘密地，偷偷地。藏：隐匿，隐藏。 [6]伤：受伤，受到伤害。

译文

事情纵然很小，也不要擅自做主而不向父母禀告；假如任意而为，就有损为人子女的本分。东西即使很小，也不要背着父母偷偷地私藏起来。如果私藏起来，被父母知道了，父母疼爱呵护子女的心就会受到伤害。

解读

在过去，没有父母的命令就擅自行动是不孝的表现。比方说中国古代的男女在结婚时，就必须要遵循“父母之命”。

父母给你选择了一门亲事，不管你自己愿不愿意，你都要遵从。因此很多人为了讲求孝道，不惜牺牲自己的婚姻幸福。

从现在的眼光来看，这种做法就是“愚孝”，是很愚蠢的。所以我们在理解“事虽小，勿擅为；苟擅为，子道亏”这四句话时，千万不要绝对。在我们年纪幼小，还没有判断力的时候，当然要尽可能地听从父母的决定。但我们绝不能唯父母之命是从，当我们认定一件事情是正确的，而父母的主张不对的时候，我们就要坚持己见。记住，即便是父母，他们也有犯糊涂的时候。

经典故事

兄弟争孝

清朝时，长江口外的崇明岛上，有吴氏四兄弟。小时候因家境贫困，父母不得已把他们卖给富家为童仆，以求一条生路。

他们长大后，个个勤奋节俭，赎（shú）出卖身契，回到家乡，合力盖起房舍并各自娶妻成家。这时，他们已理解当日父母的苦衷，所以争相供养父母，以示不忘养育之恩。开始时认定每家供养一月，后来贤惠孝顺的妯娌（zhóu lǐ）们认为隔三个月才能轮到自己供养，时间太长了，所以改为每家供养一日。以后又改为自老大起每人供养一餐，依次排下。每隔五天，全家四房老少合聚一起，共烹佳肴，奉养父母。席上子孙、儿媳争相端菜敬酒，百般孝顺，真是合家欢乐乐陶陶。两位老人安享天年，福寿近百岁无病而终。

兄弟争孝

思考讨论

小红正在读小学五年级，学习很用功。可是小红的爸爸认为小红是女孩子，读书没有什么用处，还要缴很多学费，就不让她上学，而让她在家里跟自己学做生意。但小红很喜欢读书，不想放弃学业，可是又不敢不听爸爸的话。你认为小红该怎么办呢？

qīn suǒ hào lì wèi jù
亲所好[1]，力为具[2]；
qīn suǒ wù jǐn wèi qù
亲所恶[3]，谨为去[4]。

注释

[1]亲:父母。好:喜好，喜爱。 [2]力:努力，尽力。为:给，替。具:准备，备办。 [3]恶:厌恶，不喜欢。[4]去:去除。

译文

父母所喜爱的，当子女的应尽力为他们办好；父母所厌恶的，就小心谨慎地为他们去除。

解读

这几句话讲的是我们平时应该如何体察亲意，以孝顺父母。

父母很少会为他们自己向我们提什么要求，但我们做子女的应该善于揣摩他们的心意。他们喜欢什么，我们就尽自己的最大努力满足他们的愿望。我们现在还是学生，父母最喜欢的无非是要我们学习好、品德好。所以我们应该在课业上尽心尽力，讲文明懂礼貌，让父母感到欢喜。而父母最不喜欢的，就是我们有不良嗜好和不良习惯，所以我们应该尽快地改正过来，让他们高兴。

总之，我们做子女的，应该学会关心体贴父母，做一个

善解人意的好孩子。我们现在年龄很小，能力有限，不是父母想要什么我们都能办得到，但是我们要尽心，把自己力所能及的事做好，比方说努力学习、早睡早起等，这样父母一定会非常高兴的。

经典故事

鹿乳奉亲

春秋时期有一个叫剡（tán）子的人。父母年纪大了，眼睛得了病，需要饮用鹿的乳汁进行疗治。为了能得到鹿乳，剡子便披着鹿皮进入深山，钻进鹿群之中挤取鹿乳，供奉双亲。

一次取奶时，看见猎人正要射杀一只鹿，郯子急忙掀起鹿皮，现身走出，将挤取鹿乳为父母医病的实情告诉了猎人，猎人被他的孝顺所感动，不仅送给他很多鹿乳，还护送他出山。

鹿乳奉亲

剡子挤鹿乳为父母治疗眼病的故事从此流传开来。

思考讨论

小鹤的爸爸烟瘾很大，近来又经常咳嗽。小鹤非常担心抽烟会损害爸爸的健康，经常劝爸爸戒烟。学习了《弟子规》“亲所好，力为具”的教导后，小鹤困惑了，难道自己之前劝爸爸戒烟错了吗？聪明的小朋友，你能为小鹤解解惑吗？

shēn yǒu shāng yí qīn yōu
身 有 伤[1]，贻 亲 忧[2]；
dé yǒu shāng yí qīn xiū
德 有 伤[3]，贻 亲 羞[4]。

注释

[1]身:身体。伤:伤口，创伤。 [2]贻:留下，遗留。忧:担忧，忧愁。 [3]德:品德，品格。 [4]羞:羞耻，耻辱。

译文

万一我们的身体受到伤害，一定会给父母亲带来忧愁；如果我们的品格有了缺失，会让父母蒙羞。

解读

这几句讲的是我们平日里应该如何爱护自己，修养品德，让父母高兴。

父母非常爱我们，他们希望我们做一个德智体全面发展的好孩子。所以我们身体一有什么不适，他们就会非常紧张，担心得不得了；我们在品德上有什么缺陷，别人就会说我们是一个品行很坏的孩子，如果让父母知道了，他们一定会感到很伤心。所以我们要体会父母关心我们、照顾我们的那一份心情，爱护、照顾好自己的身体，免得让父母为我们操心。同时注意自己的一言一行，不说脏话；尊敬师长，团结同学，不和人打架，不乱拿别人的东西，做一个人见人夸的好孩子，这样才能让父母感到舒心。

经典故事

曾参挨打

孔子有个学生名叫曾参，他是一个非常孝顺父母的人，在当时很有名气并且受人尊敬。

有一次曾参在田里工作时，不小心把一株瓜的根给剜（wān）断了，正好他的父亲看见了，就很生气地说："这株瓜的根被你剜断了，这么一来，就不能再生长了！"他的父亲是个性情急躁的人，一气之下就拿起一根棒子，拼命地打着曾参，口中还骂："打死你，看你以后会不会小心点！"父亲的棒子一次次地落下，痛得曾参无法忍受，几乎昏了过去，可是曾参仍然故意表现出一点都不疼不痛的样子，他心里想：我做错了事，本来就该接受处罚，如果我不支撑一下，父亲看见我倒下了，以为我被他打伤，心中一定会哀伤，所以我还是支撑一下，以免父亲难过。他的父亲看见曾参脸上还表现出愉快的样子，气消了不少，心里想：还好刚才我没有太用力，否则真的打伤了他，我可就要难过、伤心了！

孔子听到了这件事，并没有称赞曾参的忍耐和孝顺，而是说："当儿女的人，一定要有智慧。当父亲用小棒子轻轻地打时，他是在提醒你、教训你犯错，当儿女的应当接受这种处罚。可是，如果父亲拿了一根千斤重的棒子来打你的时候，就不应该接受了。"学生们听完孔子说的话，都很好奇地问："这是为什么呢？"孔子就告诉他们，有两个理由："你们想想看，天下哪有不爱子女的父亲，如果父亲生气了，处罚儿女，这是一时的愤怒，他们并不是有心要打伤孩子，如果孩子被打伤了，他们就会很难过，这是第一个理由。第二个理由是，儿女也应该为父母的名声着想，如果一个孩子在父亲生气时被打伤或打死了，别人就会责怪这个当父亲的人。"所以，孔子认为曾参的这种做法，并不算是真正的孝顺。

思考讨论

"身体发肤，受之父母"，意思是自己身上的一切，都是父母给的，所以不能轻易让自己受伤。不爱惜自己身体的行为，就是不孝的表现。那么，我们在见到坏人坏事的时候，应不应该挺身而出、勇于斗争呢？

qīn ài wǒ xiào hé nán
亲爱我[1]，孝何难[2]？
qīn wù wǒ xiào fāng xián
亲恶我[3]，孝方贤[4]。

注释

[1]亲：父母，长辈。爱：喜爱。 [2]何：什么。难：困难。 [3]恶：讨厌，不喜欢。 [4]方：才。贤：良，善，好。

译文

当父母喜爱我们的时候，我们做到孝顺有什么困难的呢？当父母讨厌我们的时候，我们能做到孝顺，那才是难能可贵的。

解读

这几句话讲的是父母不喜欢我们的时候，我们做子女的该如何去做。

即便父母不喜欢我们，我们也要相信，“至诚可以感通”，一个人如果有发自内心的真诚的孝心，肯定可以感动父母的。因此，我们要端正自己的态度，不管父母有多大的不是，他们毕竟是我们的父母。他们把我们带到人世上，又把我们养大，这本身就是莫大的恩德。即使他们不爱我们，我们也不应该用仇恨去回报他们。父母的爱和子女的回报本来就是不对等的，这和菜市场的讨价还价不同。更何况，当我们年纪幼小的时候，很难分辨父母是不是真的疼爱我们，有的时候，他们只是恨铁不成钢，对我们管教得过于严厉了些。

“亲恶我，孝方贤”，能做到这一点是很困难的，只有道德品质非常优秀的人才能做到。我们要向这样的人学习。因为孝顺不是挂在嘴上的，而是要落实到我们的日常生活当中。

经典故事

舜靠诚心感化父母

中国历史上有很多著名的孝子，舜就是其中之一。舜本姓姚，名重华。他的父亲叫瞽瞍（gǔ sǒu），是一个不明事理的人，很顽固，对舜相当不好。舜的母亲在舜小的时候就过世了，他的后母是一个没有妇德的人。生了弟弟象以后，父亲偏爱后母和弟弟，三个人经常联合起来谋害舜。

但是舜对父母非常孝顺。即使在父亲、后母和弟弟都将他视为眼中钉、欲除之而后快的情况下，他仍然能恭敬地孝顺父母，友爱兄弟。他竭尽全力来使家庭温馨（xīn）和睦（mù），与他们共享天伦之乐。当他受到父母的责难时，心中所想的第一个念头是：“一定是我哪里做得不好，才会让他们生气。”于是他便更加细心地检省自己的言行，想办法让父母欢喜。如果受到弟弟无理的刁难，他不仅能包容，反而认为是自己没有做出好榜样，才让弟弟的德行有所缺失。

他经常深切地自责，有时甚至跑到田间号啕大哭，自问为什么不能做到尽善尽美，得到父母的欢心。人们看到他小小年纪就能如此懂事孝顺，没有不深为感动的。

最后，经过努力，舜终于感化了父母和兄弟。他也因此赢得了人民的爱戴，被当时的天子尧选为接班人。

思考讨论

绝大多数父母都是非常疼爱自己儿女的，但是也有一些不负责任的父母，对自己的孩子关心得很少，照顾得不够，没有尽到当父母应尽的责任。对于这样的父母，我们做子女的是不是就可以不孝了呢？

qīn yǒu guò jiàn shǐ gēng
亲有过[1]，谏使更[2]，
yí wú sè róu wú shēng
怡吾色[3]，柔吾声[4]。
jiàn bú rù yuè fù jiàn
谏不入[5]，悦复谏[6]，
háo qì suí tà wú yuàn
号泣随[7]，挞无怨[8]。

注释

[1]过:过错。 [2]谏:规劝，劝告。更:更改，改正。[3]怡：和悦。色：脸色。 [4]柔：柔和，温和。

[5] 入：接纳，采纳。　　[6] 悦：高兴，愉快。　　[7] 随：伴随，跟着。　　[8] 挞：责打。

译文

父母有了过失，当子女的一定要劝谏使之改正。劝谏的时候脸色要温和愉悦，话语要柔顺平和。假如父母亲不接受劝谏，那要等到父母高兴的时候再劝谏。若父母仍不听，要哭着恳求他们，即使遭父母责打也毫无怨言。

解读

即使是我们尊敬的父母，也有犯错误的时候。这时候，我们应该怎么办呢？当然是要劝他们改正错误！这是我们做子女的责任和义务。但是我们在规劝的时候，一定不能疾言厉色，这样可能引起父母的反感和愤怒，不但达不到劝说的目的，反而会事与愿违，把事情搞得更糟。正确的做法是和颜悦色，语气柔和，而且态度一定要诚恳，让父母知道你这样做完全是为他们好。父母如果不听规劝，我们也不要心急，而是要耐心等待，一有适当的时机，例如父母情绪好转或是高兴的时候，再继续劝导。如果父母仍然不接受，甚至生气，此时我们虽难过得痛哭流涕，也要恳求父母改过，纵然遭遇到责打，也无怨无悔，以免陷父母于不义，使父母一错再错，最终铸成无可挽回的大错。

经典故事

薛包孝敬后母

古时候，有个叫薛包的人。他很小的时候，母亲就去世了。后母对他很不好，经常让他挨饿受冻，还时常打他。不得已，薛包只好顺从父母心意，到其他屋独自居住。他每天早晨照常为父母打扫房屋。即使这样，父母仍然不能接受他，又赶走他。于是，薛包就到房屋外另搭茅屋居住，心中毫无怨气。每天早晨仍然回家问安，夜晚为父母铺床席，更加谨慎孝敬，委婉侍奉，从不间断。大概过了一年多，他的父母终于被薛包的孝心感动了，于是让薛包回家居住。从此全家和睦相处，共享天伦之乐。

父母去世后，薛包的弟弟要求分家产，各自生活。薛包无可奈何，便将家产平分。他说："奴婢们年岁大了，你不能使唤，就让他们跟着我吧！"他还将贫瘠（jí）的土地和荒弃的屋舍留给自己，衣服和家具只挑拣破旧的。兄弟分家以后，薛包的弟弟不善经营，生活又奢侈（shē chǐ）浪费，数次将财产耗费破败。薛包关切开导，并屡次将自己所有的钱和物拿来救济弟弟。

薛包孝敬父母、爱护弟弟的故事，很快传遍乡野，后来他被举荐任用为侍中一职。

薛包孝敬后母

思考讨论

如果父母不愿意听我们的劝说，反而恼羞成怒，动手责打我们，我们做子女的自然不应该有所怨恨。但我们是不是就呆呆地站着任由父母亲捶打呢？

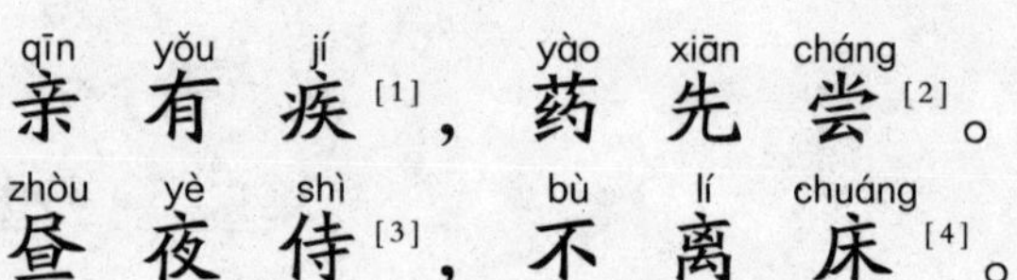

qīn yǒu jí yào xiān cháng
亲有疾[1]，药先尝[2]。
zhòu yè shì bù lí chuáng
昼夜侍[3]，不离床[4]。

注释

[1]疾:疾病。 [2]尝:品尝，辨别滋味。 [3]昼:白天。夜：晚上。侍：照顾，伺候。 [4]床：病床。

译文

当父母有了疾病时，熬好的汤药，做子女的一定要先尝尝是否太凉或太热。不分白天或夜晚，都应该侍奉在父母身边，不可离开父母的病床太远。

解读

当父母生病的时候，我们做子女的应该如何做呢？父母生病时，最需要有人照顾，尤其是自己的子女能在身边陪伴、照顾起居，是他们心中最感温暖与满足的。所以当父母生病时，我们应当尽心尽力地照顾，甚至昼夜服侍，不随便离开，让他们感到亲人在旁的温暖，增强和病魔作斗争的勇气。

一个人是否真正孝顺，在父母生病的时候最能够看出来，尤其是当父母的病需要很长时间才能好起来的时候。中国有句古话，叫“久病床头无孝子”。什么意思呢？就是说，如果生病生得久了，自己的子女就会产生懈怠（xiè dài）情绪，不那么孝顺了。可见，“昼夜侍，不离床”，说起来容易，做起来就不那么简单了，难就难在要始终如一，持之以恒。

经典故事

黄香暖被

东汉时期，有个小孩叫黄香。黄香九岁的时候母亲就去世了，他对父亲非常孝顺。

这年的冬天十分寒冷，黄香在睡觉的时候，感觉被窝里简直像个冰窟窿，浑身直打颤。正当黄香即将睡去时，他突然想到：我的床这么冷，父亲的床不也一样吗？透过窗户，他看到父亲忙碌的身影。唉，都这么晚了，父亲还在劳作，真是辛苦呀！黄香一骨碌爬起来，向父亲的床走去。他一头钻进了父亲的被窝。嘶，真凉啊，父亲的棉被比自己的要薄！黄香躺在父亲的被窝里，冷得有些受不了了，他就一边躺着，一边背诵白天刚学过的诗文。

过了一会儿，被窝里就渐渐暖和了。劳累了一天，疲劳不堪的父亲来到自己的床边正准备睡觉，忽然发现了躺在被窝里的黄香。“我的儿，你这是在干什么呀？”父亲惊讶地问道。黄香忙从被窝里爬了出来，说：“我这是为父亲温暖席被啊，您劳累了一天，这样睡进去可以驱驱风寒。”“呵呵，我家的香儿真懂事，真懂事！”父亲感动得不知如何是好。

思考讨论

古时候，病人吃的药都是中药，是把草药用锅煎熬（áo）成药汤，再喂给病人喝。喂的时候，怕汤药太热，所以喂的人一般要先尝一下药的冷热。现在情况不同了，大多数药都是药片或成品口服液。如果父母生病了，你会怎么照顾他们呢？在喂父母吃药的时候，应该注意哪些事情呢？

sāng sān nián cháng bēi yè
丧 三 年[1]，常 悲 咽[2]，
jū chù biàn jiǔ ròu jué
居 处 变[3]，酒 肉 绝[4]。
sāng jìn lǐ jì jìn chéng
丧 尽 礼[5]，祭 尽 诚[6]，
shì sǐ zhě rú shì shēng
事 死 者[7]，如 事 生。

注释

[1] 丧：服丧。 [2] 悲：悲伤。咽：悲切，哽咽。
[3] 居处：住的地方。变：改变。 [4] 绝：断绝。
[5] 尽：尽量，尽可能。礼：礼节，仪式。 [6] 祭：祭祀。
[7] 事：供奉，对待。

译文

父母去世后要守丧三年，守丧期间，因为思念父母就常常悲伤地哭泣起来；自己住的地方也变简朴，并戒除喝酒、吃肉等生活享受。办理父母的丧事要依照礼仪，不可草率马虎，祭祀时要尽到诚意。对待已经去世的父母亲，要像他们生前一样地对待。

解读

古时，父母亡故，子女一般要守孝三年。守孝期间还要常常追思、感怀父母教养的恩德以至流下泪来，生活起居也要改变，住的要简朴，吃的要简单，不能喝酒吃肉、贪图享受。办理丧事的时候还有一套固定的礼节，必须认真遵守，不能马马虎虎。祭拜时也必须诚心诚意，恭恭敬敬，否则就会被人认为不孝顺。

这是古人的做法。现在时代不同了，观念也发生了改变。我们无法效法古人的行为，但我们应该学习他们的孝心和精神。父母是世界上最爱我们的人，如果他们永远地离开了，我们理应感到悲伤。这种悲伤应该是发自内心的，是假装不来的。“事死者，如事生”，这是值得我们学习的。一个人对待父母的感情不能因他们的去世而发生丝毫的改变，但也不必像古人那样，以“丧三年”、“居处变，酒肉绝”的极端方式，来表达自己的悲伤之情。我们所要做的，就是把父母生前希望我们做的事情做好，好好地生活下去，这样也就足以告慰父母的在天之灵了。

经典故事

王裒泣墓

在晋朝的时候，有一个叫王裒（póu）的人，他的母亲生前很怕打雷。母亲过世后，他就在庐墓旁边筑了一间小屋，在那里居住。每次碰到风雨交加又是打雷的时候，王裒都会跑去墓前，呼叫着母亲说：“母亲！您不要害怕，儿子就在这里。”他这样在墓前安慰自己的母亲。

“丧三年，常悲咽”，王裒对母亲是那样追思，那样深爱，即使母亲过世了，他还念念不忘母亲最怕的是什么。

思考讨论

孔子曾说：“礼，与其奢也，宁俭；丧，与其易也，宁戚。”这句话与我们这一节所学的内容可以互相启发。结合本节内容，说说你对孔子这句话的理解。

第三章　出则弟

xiōng dào yǒu　dì dào gōng
兄道友[1]，弟道恭[2]，
xiōng dì mù　xiào zài zhōng
兄弟睦[3]，孝在中[4]。

注释

[1]兄道:为兄之道。道，道理、本分。友:友爱，爱护。[2]恭:恭敬，尊敬。　[3]睦:友好，和睦。　[4]中:其中。

译文

当兄长的要对弟弟友爱，做弟弟的应对兄长恭敬。兄弟间能和睦相处，（父母自然欢喜，）孝道就在其中了。

解读

在家庭里，除了父母以外，兄弟姐妹就是我们最亲的人了。兄弟姐妹之间就好比是树干、树枝一样，都是生活在一起的，彼此要互相关心、互相尊重、互相帮助。而且我们与兄弟姐妹的相处时间，往往比与父母相处要长久。如果我们从小懂得尊敬自己的兄长，做兄长的懂得爱护自己的弟妹，不但在家里能和睦共处，将来在社会上也能与人互相包容，互相帮助，互相关怀。

李勣为姊煮粥

经典故事

李勣煮粥焚须

李勣（jì）是唐代的著名大臣，他虽贵为宰相，但对自己的姐姐非常恭敬，年老时还不忘照顾姐姐。一次，他去看望姐姐时，还亲自为姐姐煮粥。在煮粥的过程中，因为火势太强，把胡子烧了。他姐姐一看，怎么把胡子烧了？非常心疼他，就告诉他说：“家里的仆人很多，让他们去做就好了，你又何苦亲自来做？”李勣说：“姐姐，你从小对我关怀备至，我时时都想要回报你。我们年纪都这样大了，我又有多少机会能够亲手为你煮粥？”

所以，李勣的心中，时时没有忘记姐弟的情谊。

思考讨论

为什么说兄弟姊妹在家里能和睦共处，就是守孝道的表现呢？

cái wù qīng　yuàn hé shēng
财物轻[1]，怨何生[2]？
yán yǔ rěn　fèn zì mǐn
言语忍[3]，忿自泯[4]。

注释

[1]财：钱财。物：物品。轻：看轻，以……为轻。[2]怨：怨恨。何：怎么。生：产生。　[3]忍：忍让。[4]忿：愤怒，怨恨。自：自然，当然。泯：消失，消灭。

译文

把财物看得轻一点，淡一点，彼此之间又怎么会产生怨恨呢？言语能够包容忍让，怨恨自然消失不生。

解读

钱财乃身外之物，生不带来，死不带去。我们在与人相处的时候，无论是与兄弟姐妹，还是其他人，都要懂得忍让的道理。不要把财物看得太重，因为和钱财比起来，人与人之间的情感更为重要。不要为了一点蝇头小利而与人伤了和气。

比如说，如果我们身边的小朋友忘记带橡皮了，我们要毫不吝惜地把我们的新橡皮借给他们。再比如说，爸爸妈妈给我们买来了什么好吃的东西，我们也要和小伙伴们分享。

财物上要讲忍让，语言上更要讲忍让，讲话时不要太冲动，不说坏话，忍住气话，伤感情的话更不能说，这样，不必要的矛盾和冲突就无从产生了。

经典故事

瘦羊博士

东汉时候的甄（zhēn）宇，在京城洛阳的太学里教学，担任博士。有一年，临近年底，皇帝为欢度春节，赐给博士们每人一只羊。羊被赶来了，大小肥瘦不等，如何分发为好呢？太学的长官一时拿不定主意，就把博士们找来一起商量。

有人提出把所有的羊统统宰掉，平均搭配，每人一份，这样比较公平合理；有人主张用抓阄（jiū）的办法，好坏凭个人运气；也有人建议每两人为一组，每组各分一只肥大的羊，一只瘦小的羊，宰后两人平均分……博士们七嘴八舌议

瘦羊博士

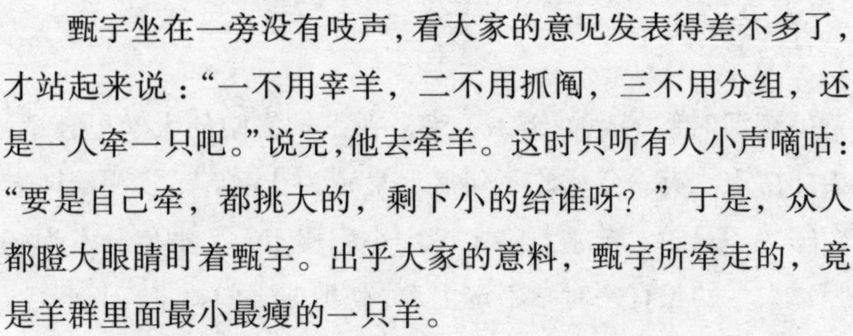

论了老半天，最终也没拿出一致的意见。

甄宇坐在一旁没有吱声，看大家的意见发表得差不多了，才站起来说：“一不用宰羊，二不用抓阄，三不用分组，还是一人牵一只吧。”说完，他去牵羊。这时只听有人小声嘀咕：“要是自己牵，都挑大的，剩下小的给谁呀？”于是，众人都瞪大眼睛盯着甄宇。出乎大家的意料，甄宇所牵走的，竟是羊群里面最小最瘦的一只羊。

见此情景，博士们再也不争执了，反倒你谦我让，谁也不好意思挑大的牵了。这事传了出来，洛阳城里的老百姓纷纷赞扬甄宇的无私精神，送给他一个雅号“瘦羊博士”。

思考讨论

在和伙伴们相处的时候，如果小伙伴们在言语上得罪了我们，我们该不该用针锋相对的语言来报复呢？

huò yǐn shí huò zuò zǒu
或饮食[1]，或坐走[2]，
zhǎng zhě xiān yòu zhě hòu
长者先[3]，幼者后。
zhǎng hū rén jí dài jiào
长呼人[4]，即代叫[5]，
rén bú zài jǐ jí dào
人不在，己即到。

注释

[1]或:无论。饮食:指吃饭用餐。饮,喝(水、酒等)。食,吃饭。 [2]坐:就座。走:行走。 [3]长者:年长的人。先:在先,在前。 [4]呼:呼叫,召唤。 [5]即:立即。代:代替,帮忙。

译文

不论用餐、就座或行走,都应该年长者优先,年幼者在后。长辈有事呼唤人,应立即代为传唤;如果那个人不在,我们应该马上主动去询问有什么需要帮忙就帮忙的。

解读

尊老爱幼一直是我们中华民族的传统美德。我们在日常生活规范中,要特别注意讲求礼貌。饮食要请长辈先用,就座时要请长辈先坐,走路时应让长辈先走。如果我们没有礼让,就是不懂得尊卑次序,就是没有礼节。懂得礼让是很好的美德,我们一定要引起重视。

经典故事

尊师至诚 孝道楷模

子贡是孔子的杰出弟子。后来弃官从商,成为孔子弟子中最富有的人,商界历来公认他为“儒商始祖”。

公元前 479 年，中国古代伟大的思想家、教育家孔子离开了人世。孔子死后，众弟子都服丧三年，然后告别而去，只有子贡结庐墓旁，守墓六年，足见尊师之诚，实在是中华尊师孝道楷模。

后人感念此事,建屋三间,立碑一座,题为“子贡庐墓处”。因为子贡为孔墓所植的是楷树，后世便以“楷模”一词来纪念这位圣徒。

思考讨论

如果老师让你代叫一下其他的同学,而你没有找到的话,你该怎么办呢?

chēng zūn zhǎng wù hū míng
称尊长[1]，勿呼名[2]；

duì zūn zhǎng wù xiàn néng
对尊长[3]，勿见能[4]。

注释

[1] 称:称呼。尊长:长辈。　[2] 勿:不要。名:名字。[3] 对：面对。　[4] 见：显现，表现。能：才能。

译文

称呼长辈时，不可以直呼长辈的名字；在长辈面前，不要卖弄自己很有才能。

解读

我们对长者尊敬与否，就从我们的一言一行中体现出来。

当我们称呼长辈时，不要称呼他们的名字，那是不懂礼貌的表现。在校园里，我们称呼某个老师时，只要在其姓后面加上“老师”两字就可以了，比方说张老师、李老师等等。在家里，我们见到父母的朋友，要热情地打招呼，称他们张叔叔、李阿姨等等。在其他场合也是如此，只要是我们的长辈，我们都不应直呼其名。

当长辈问起我们的学业或成绩时，一定要谦虚，千万不要在长辈面前大言不惭地吹嘘自己，这样很可能就会给长辈留下华而不实的印象。在学问和见识都比自己高很多的长辈面前，我们保持谦虚谨慎是很有必要的。

经典故事

冯友兰尊敬陈寅恪

著名国学大师冯友兰和著名史学家陈寅恪（què）都是清华大学的教授。两人的学问都非常大。但因为陈寅恪比冯友兰年长五岁，所以冯友兰对陈寅恪非常尊敬。在二十世纪三十年代的清华校园内，每次上《中国哲学史》课时，已经是清华大学文学院院长、大名鼎鼎的哲学家的冯友兰教授，总是非常恭敬地跟着陈寅恪从教员休息室里出来，边走边听他讲话。走到教室门口时，冯友兰总是对陈寅恪深深地鞠（jū）一躬，然后才离开。

由此可以看出，越是有学问的人就越是谦虚，越是尊重别人。我们也应该向冯友兰先生学习，“对尊长，勿见能”，他那样有才学，也不矜（jīn）才傲物，不卖弄自己的才能。我们年龄还很小，才能更是有限，一定不可以骄傲自满。

思考讨论

在过去，家长都会教育孩子，如果长辈在场，作为晚辈的，不可以在长辈面前故意卖弄自己的才华。他们认为，如果孩子从小有这种情形，把自己的锋芒毕露，将来会隐藏很大的危机。这样的观点，在现在看来，有合理的地方，也有不合理的地方。说一说其合理的地方和不合理的地方。

lù yù zhǎng jí qū yī
路遇长[1]，疾趋揖[2]，
zhǎng wú yán tuì gōng lì
长无言，退恭立[3]。
qí xià mǎ chéng xià chē
骑下马[4]，乘下车[5]，
guò yóu dài bǎi bù yú
过犹待[6]，百步余。

注释

[1]长：长辈。 [2]疾：快，迅速。趋：小步快走。揖：拱手礼。 [3]恭：恭敬。 [4]骑：骑马。 [5]乘：乘车。 [6]过：经过，过去。待：等待。

译文

走路遇到长辈时，要赶快上前行礼问候。长辈如果没有和我们说话，我们就该退在一旁恭恭敬敬站着，让长辈先走。如果自己正骑在马上，就该赶快下马；如果正坐在车上，就该赶快下车。要一直等到长辈过去一百多步的距离之后，才能上马上车继续赶路。

解读

尊敬长辈，要体现在日常生活中的一点一滴。我们在路上碰巧遇见了熟悉的长辈，要主动上前问候；告别时，应该目送长辈走了之后我们再走。在狭窄的道路上，如果对面而来的人是比自己年长的人，无论认不认识，都应主动让路。

经典故事

张良拾履

张良是汉代著名的谋略家，他从小就尊敬老人。一天，张良闲暇时在桥上散步，有一位老年人，身穿粗布短衣，走到张良跟前，把鞋子扔到桥下，对张良说："小子，下去拾鞋。"张良猛然一惊，可一见老人如此大的年纪，心中非常同情他，就下去给他拾了鞋。可是老人得寸进尺，不但没有感激他，又继续说："替我把鞋穿上！"这太过分了！张良开始很生气，正要发火，但又想到："这一定是老人年岁大了，自己不能穿鞋了。自己为长者穿鞋不也是应该的吗？"于是他跪下来

懂礼貌的张良

为老人穿鞋。穿好后，老人见张良尊老敬贤，很高兴，就送给他一部书，并且告诉他说：“读了这部书，你就可做帝王的老师了。”

天亮后，张良一看，原来是一本兵书，叫《太公兵法》。张良得到这本书后，认真阅读，终于学到了运筹帷幄（wéi wò）、决胜千里的本领，辅佐刘邦取得了天下。

思考讨论

今天，我们出门都不再骑马或坐马车了，可是我们会坐公共汽车。如果你在公共汽车上遇到一位不认识的老大爷，你该怎么做呢？

zhǎng zhě lì yòu wù zuò
长 者 立[1]，幼 勿 坐；
zhǎng zhě zuò mìng nǎi zuò
长 者 坐，命 乃 坐[2]。
zūn zhǎng qián shēng yào dī
尊 长 前，声 要 低；
dī bù wén què fēi yí
低 不 闻[3]，却 非 宜[4]。

注释

[1] 立：站立。　[2] 命：命令，允许。乃：才。[3] 闻：听见，使听到。　[4] 非：不，不是。宜：适宜，合适。

译文

如果长辈还站着，做晚辈的不应先坐下来；如果长辈坐着，允许坐下时晚辈才可以坐下。在长辈面前讲话声音要低，但是回答的声音低到听不清楚，那也不适当。

解读

这几句话也是教导我们在仪态举止方面应该重视社交礼节。我们年龄渐渐大了，父母有时候也会带我们参加一些聚会，这时候，我们不能一点不受约束，在会场里东跑西跑，这是非常没有礼貌的。在有长者在场的时候，长者如果没有坐下来，所有的晚辈统统不应该坐下来；如果主人没有坐,我们作为客人也不能坐下来。当长辈坐下来以后，允许我们坐下时，我们才可以坐下，这是一种非常重要的社交礼节。

经典故事

颜回敬师

孔子带领他的学生们周游列国，在去陈国和蔡国的路上被困，一连好几天没吃上一顿饭。孔子实在受不住，只好大白天躺下睡大觉，想以此来忘却饥饿。孔子的大弟子颜回见老师饿得很，心中十分忧伤，心想，老师上了年纪，怎能经得住这般折磨啊！再不想出办法，怕是要出危险了。颜回也没有什么好办法可想，只好去向人乞讨。

真是天不绝人，居然碰上一个好心肠的老婆婆，给了他一些白米。颜回高高兴兴地把米拿回来，急忙生火做饭，不一会儿，饭就熟了。孔子这时刚好醒来，突然闻到一股扑鼻的饭香，好生奇怪，便起来探看。刚一跨出房门，就看见颜回正从锅里抓了一把米饭往嘴里送，孔子又高兴又生气。高兴的是有饭吃了；生气的是颜回竟然如此无礼，老师尚且未吃，他却自己先吃了起来。

过了一会儿，颜回恭恭敬敬地端来一大碗香喷喷、热腾腾的白米饭，送到孔子面前，说："今日幸好遇到好心人赠米，现在饭做好了，先请老师进食。"不料孔子一下子站起身来，说："刚才我在睡梦中见到去世的父亲，让我先用这碗白米饭祭奠他老人家。"颜回一把将那碗米饭夺了回去，连忙说："不行！不行！这米饭不干净，不能用它来祭奠！"孔子故作不解地问道："为何说它不干净呢？"颜回答道："刚才我煮饭时，不小心把一块炭灰掉到上面，我感到很为难，倒掉吧，太可惜了，但又不能把弄脏的饭给老师吃呀！后来，我把上面粘有炭灰的饭抓来吃了。这掉过炭灰的米饭怎能用来祭奠呢？"孔子听了颜回的话才恍然大悟，消除了对颜回的误解，深感这个弟子是个贤德之人。

思考讨论

妈妈带橙橙去一位阿姨家做客，橙橙第一次见到这位阿姨，有些紧张，又怕被阿姨笑话说自己没礼貌，于是声量小到阿姨没有办法听到。回家后妈妈批评橙橙做得不对。如果你是橙橙，你会怎样做呢？

jìn bì qū tuì bì chí
进必趋[1]，退必迟[2]，
wèn qǐ duì shì wù yí
问起对[3]，视勿移[4]。

注释

[1]进：进见，拜见。趋：小步快走。 [2]退：告退，告辞。迟：迟慢，缓慢。 [3]问：询问，问话。起：起立，站起来。对：回答。 [4]视：眼神。移：飘移，移动。

译文

拜见长辈时要快步上前打招呼；等到告退时，要慢慢退出。长辈问话时，要站起来回答，眼神注视长辈，不要左右移动。

解读

在生活中，我们经常会因为各种原因要到尊长面前去。比方说过春节时去给爷爷奶奶、叔叔阿姨拜年，教师节时去给老师献花，老师有事叫我们到办公室去问话等等，这时候我们一定要走得比平常快些，尤其是当长辈们已经看见我们的时候，我们更应该快步上前。如果这时不紧不慢地走，就会被看成是对长辈的轻慢，是不礼貌的。当我们办完事要和长辈们告辞时，则不要匆匆忙忙地离开，必须稍慢一些才合乎礼节。

经典故事

魏昭为老师煮粥

东汉时期，有一位名叫魏昭的人，他在童年求学的时候，看到郭林宗，心想这是一位难得的好老师，便对人说："教人念经书的老师是很容易请到的，但是要请到一位能教人成为老师的人，就不容易找到了。"所以他就拜郭林宗为老师，而且派奴婢侍奉老师。但是郭林宗体弱多病，有一次他要魏昭亲自煮粥给他吃。魏昭端着煮好的粥进来的时候，郭林宗却斥责他煮得不好，而魏昭就再煮一次。

这样一连三次，到了第四次，当魏昭再端粥来而又没有不好的脸色时，郭林宗才笑着说："我以前只看到你的外表，今天终于看到你的真心啦！"于是将毕生所学的全部知识都教给了魏昭，而魏昭也终于学有所成。

思考讨论

语文课上，小丽被老师点名回答问题。小丽坐着回答说不会。小丽错在哪里呢？她该怎样做才符合礼节呢？

shì zhū fù[1]，rú shì fù[2]；
事诸父[1]，如事父[2]；
shì zhū xiōng，rú shì xiōng。
事诸兄，如事兄。

注释

[1]事：服侍，对待。诸：各位。父：父辈，和父亲一辈的人。 [2]如：如同。

译文

对待叔叔、伯伯等尊长，要如同对待自己的父亲一般孝顺恭敬；对待同族的兄长，要如同对待自己的胞兄一样友爱尊敬。

解读

我们对父母要孝顺恭敬，同样的，我们对父母的朋友、兄弟姐妹，也要表现出足够的尊敬。因为不尊重他们，就是变相地不尊重我们的父母。同时，我们也要和堂兄堂弟、表姐表妹等兄弟辈的人和睦相处，这样才是一个彬彬有礼的、有教养的孩子。

推而广之，当我们跟群体在一起的时候，或者工作、或者学习，我们都会与很多人相处。在团体里头，如果有长辈，他不一定是我们的师长，但是他的年纪比我们大，我们和他们在一起的时候，应该用什么样的心来对待呢？“事诸父，如事父”，如果他的年纪和我们的父亲差不多，我们对待他，也要像对待自己的父亲那样来敬重他。如果他的年纪像我们的兄弟姐妹，我们也要珍惜与他们之间的友谊，就好像对待自己的兄弟姐妹一样，与他们和睦相处。

经典故事

王恭席赠族叔

王恭是东晋时期的将军，一次，王恭到外地处理公务，见当地的竹席编得十分精巧，想到家乡夏日酷暑难熬，便买了一领席子带回家中。坐在竹席上乘凉饮茶，非常舒适，王恭对这领竹席十分珍爱。

一天，王恭的族叔王忱（chén）来访。叔侄二人坐在竹席上谈天说地，十分愉快。谈话中，王忱发现王恭的竹席十分好看且适用，顿生爱意，就想："他奉旨去外地处理公务，地方上一定送他不少好东西，像这样的席子一定不止一领。"于是就问："现今盛夏，酷暑难熬，贤侄能否送我一领席子？"王恭只有这一领席子，有点舍不得送人，但一想王忱年老体弱，又是长辈，略经考虑，决定割爱，于是满口答应。待王忱走后，他让家人把席子捆好，送到王忱府上。

王忱只是王恭的族叔，但是王恭对他十分尊敬，像对待自己父亲一样对待他，把自己仅有的一领凉席送给王忱。这就是我们所说的"事诸父，如事父"的精神。

思考讨论

在现代社会，每个家庭基本上都只有一个孩子，"事诸兄，如事兄"的原则对我们还适用吗？

第四章 谨

zhāo qǐ zǎo yè mián chí
朝起早[1]，夜眠迟，

lǎo yì zhì xī cǐ shí
老易至[2]，惜此时[3]。

注释

[1]朝：早晨。 [2]老：年老，衰老。至：来到。[3]时：时光，光阴。

译文

早上要尽量早起，晚上要适当晚睡，因为光阴容易消逝，少年人一转眼就是老年人了，所以我们要珍惜现在宝贵的时光。

解读

珍惜光阴非常重要。我们现在年龄还比较小，还无法完全体会到时间的宝贵。古人说，“黑发不知勤学早，白首方悔读书迟”，意思就是说如果我们幼小的时候不早起用功学习，等到我们头发白了一事无成时，一定会因为没抓紧时间学习而感到后悔。

经典故事

不教一日闲过

齐白石是我国杰出的画家，他的画举世闻名。许多人纷纷拜访齐白石，要他介绍经验，传授画画的秘诀。齐白石在一次接待客人时，诚恳地说："作画并无秘诀，全在一天也不能空闲。"

齐白石是这样说的，也是这样做的。他四十六岁起就定居北京，从那时开始，他坚持每天都要画画，从来没有间断过。每天他都早早地起床，晚上睡得很晚，把大多数的时间都用在读书作画上。在他八十五岁那一年，有一天，他一连画了四张画。这对他来说，已是够累的了，但他还是继续画，坚持又画了一张，并在画上题了几行字："昨天大风雨，心绪不宁，不曾作画，今朝特此一张补充之，不教一日闲过也。"

思考讨论

所谓浪费时间，就是把时间耗费在一些无意义的事情上。请你说一说，玩网络游戏、看动画片等，是不是在浪费时间呢？在什么情况下是浪费时间呢？

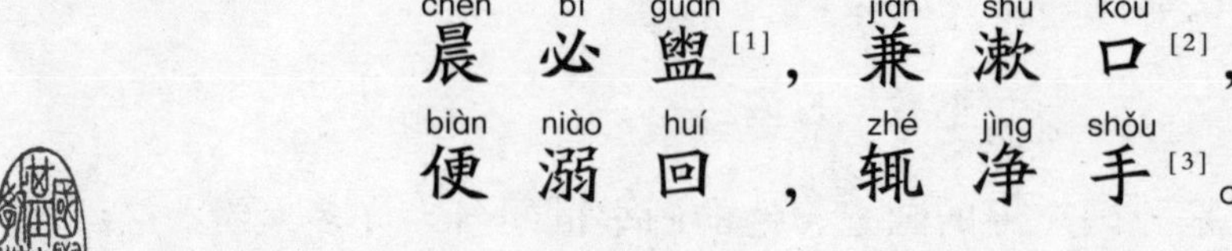

chén bì guàn，jiān shù kǒu，
晨必盥[1]，兼漱口[2]，

biàn niào huí，zhé jìng shǒu
便溺回，辄净手[3]。

注释

[1] 必：一定，必须。盥：洗，用手接水冲洗（手、脸）。[2] 兼：同时。　[3] 辄：就。净：洗净。

译文

每天早上起床必须要盥洗，同时注意刷牙漱口，解完大小便以后，要马上把手洗干净。

解读

这几句是讲我们要注意个人卫生。早上起来，第一件事情就是要盥洗，把自己打理得干净、清爽。同时还要刷牙漱口，一日三餐后尽量都刷牙漱口，尤其晚上睡觉前，更要特别落实，才能保护牙齿。

解完大小便以后，我们一定要把手洗干净，手心、手背、指缝间都要仔细搓洗，不要偷懒，不要嫌麻烦。推而广之，我们在去教室以后，一定要把自己的课桌和椅子用布擦干净；吃饭或吃东西之前，一定要洗手；不要用口去咬铅笔、咬手指等等。这些都是讲卫生的表现。

经典故事

孔子的生活习惯

大圣人孔子不仅学问非常好，还有着非常好的生活习惯。

穿衣方面：不用红紫色的布料缝制贴身穿的衣服；夏天，穿粗或细的葛布单衣，但外出时一定加穿上衣；黑色上衣配羔裘，白色上衣配鹿裘，黄色上衣配狐裘；平常在家穿的皮袍较长，但右袖短一点；睡觉一定要有睡衣，长度要有本人身长的一半；坐垫用狐貉厚毛做成；等等。

饮食方面：讲究饮食卫生，鱼肉腐烂变质，不吃；颜色变了，不吃；味道变了，不吃；烹得不到火候，不吃；不是吃饭的时候，不吃；鱼肉割得不正，不吃；从市场上买来的酒、肉，不吃；肉食不多吃；吃饭不吃饱。饮酒无量，但不喝醉。

吃饭时不说话，睡觉时不言语。

走路一定坐车，不步行。

保持这些生活习惯，使得孔子生活有规律，再加上孔子有着良好的仁者心态、智者风范，所以孔子享年七十三岁。这在两千五百多年前无疑是难得的高寿。

思考讨论

亮亮说，我们不需要养成讲究卫生的好习惯，“不干不净，吃了没病”，讲卫生太麻烦了。亮亮的话对吗？请你说一说，讲卫生有哪些好处呢？

孔子观周问礼

guān bì zhèng，niǔ bì jié
冠必正[1]，纽必结[2]，
wà yǔ lǚ，jù jǐn qiè
袜与履[3]，俱紧切[4]。
zhì guān fú，yǒu dìng wèi
置冠服[5]，有定位[6]，
wù luàn dùn，zhì wū huì
勿乱顿[7]，致污秽[8]。

注释

[1]冠:帽子。正:端正。 [2]纽:纽扣。结:系上(纽扣)。 [3]履:鞋。 [4]切:切合,贴切。 [5]置:放,放置。 [6]位:位置。 [7]顿:放置,安放。 [8]秽:脏乱,杂乱。

译文

出门帽子要戴端正，穿衣服要把纽扣纽好；袜子和鞋子都要穿得贴切，鞋带要系紧。脱下来的帽子和衣服应当放置在固定的位置，不要随手乱丢乱放，以免弄脏弄乱。

解读

除了讲究个人卫生，我们还要注重仪表。容貌仪表是我们留给别人的第一印象。容貌不好没有关系，如果有良好的仪态、整齐的穿着，也会让人觉得看起来很舒服，不会失礼于别人。因此，我们在穿衣戴帽时，一定要注意服装仪容的

整齐清洁，戴帽子要戴端正，衣服扣子要扣好，袜子穿平整，不要一脚高一脚低，鞋带应系紧，否则容易被绊倒，一切穿着以稳重端庄为宜。

回家后衣、帽、鞋袜不要乱丢，都要放在固定的位置，有一定的次序，避免造成脏乱，要用的时候又要找半天。如果我们懂得料理自己的衣物和文具，就会节省下很多时间。更重要的是，它可以让我们细心谨慎，不粗心大意、丢三落四，做一个说话办事井井有条的人。

经典故事

讲究仪表的子路

孔子的学生子路是一个非常讲究仪表的人。这一年，卫国发生了内乱，正在国外的子路听说以后，急忙往回赶。有人劝他："现在国中十分危险，回去了很可能遭受灾祸。"子路说："拿了国家的俸禄（fèng lù），就不能躲避祸难。"

进城以后，子路竭力帮助国君平叛，但还是因寡不敌众，被敌人的武士击中，帽子上的缨带也被割断了。子路知道自己难逃一死，立即停止搏斗，说："君子虽死，但不能让帽子脱落而失礼。"于是从容地系好帽带子而死。

思考讨论

在生活中，除了衣帽鞋袜以外，还有哪些东西不可以乱扔呢？

yī guì jié bú guì huá
衣贵洁[1]，不贵华[2]，
shàng xún fèn xià chèn jiā
上循分[3]，下称家[4]。

注释

[1]贵：崇（chóng）尚，看重。　[2]华：华丽。
[3]循：遵循。分：身份。　[4]称：符合，相当。家：家境，家庭经济状况。

译文

穿衣服重在整齐清洁，不在于衣服的昂贵华丽，而且要依照自己的身份穿着，也要配合家庭的经济状况。

解读

我们说要讲究仪表，是说要穿戴整齐，并不是说衣服越贵重越好。我们穿衣戴帽看重的是整洁，不必讲究昂贵华丽，而且穿着应考量自己的身份及场合，更要衡量家中的经济状况，不要为了面子和人攀比。

现在很多小孩子喜欢赶时髦，虚荣心作怪，看见别人有新衣服，自己就一定要买一件，这是不对的。一个人是否受到尊敬，不在于他穿戴如何，而在于他有没有才学，有没有良好的品德。古人说“腹有诗书气自华”，就是说我们有了真学问，就自然有了华丽高贵的气质。相反，一个人如果没有知识，他穿得再好，也会让人觉得庸俗。

经典故事

简朴的苏轼

苏轼是唐宋八大家之一，二十一岁中进士，前后共做了四十年的官，做官期间他总是注意节俭，常常精打细算过日子。

公元1080年，苏轼被降职贬官来到黄州，由于薪俸减少了许多，他穷得过不了日子，后来在朋友的帮助下，弄到一块地，便自己耕种起来。

为了不乱花一文钱，他还实行计划开支：先把所有的钱计算出来，然后平均分成十二份，每月用一份；每份中又平均分成三十小份，每天只用一小份。钱全部分好后，按份挂在房梁上，每天清晨取下一包，作为全天的生活开支。拿到一小份钱后，他还要仔细权衡，能不买的东西坚决不买，只准剩余，不准超支。积攒（zǎn）下来的钱，苏轼把它们存在一个竹筒里，以备意外之需。

思考讨论

家境一般的小鹤是个喜欢赶时髦的女孩。每次看到班级里有同学穿了件新衣服，小鹤一定要爸爸妈妈为自己买上一件，非要把其他人比下去不可。除此之外，小鹤还喜欢戴首饰，一次竟然把头发染得花花绿绿的。请你说说小鹤错在哪里了。

duì yǐn shí，wù jiǎn zé

对饮食，勿拣择[1]，

shí shì kě，wù guò zé

食适可[2]，勿过则[3]。

nián fāng shào，wù yǐn jiǔ

年方少[4]，勿饮酒，

yǐn jiǔ zuì，zuì wéi chǒu

饮酒醉，最为丑[5]。

注释

[1]拣择：此指挑剔（tī）。拣，挑拣。择，选择。[2]适可：适量。[3]则：范围。[4]方：才。少：年轻，年纪小。[5]为：是。

译文

饮食应全面，不要挑剔偏食，而且要吃适当的分量，不要吃过量。我们年纪还小尚未成年，不该尝试喝酒，因为喝醉了丑态百出，最容易表现出不当的言行。

解读

吃饭的时候不要在菜肴里头翻来翻去，挑来挑去，专门夹自己喜欢吃的，而要多吃蔬菜水果，少吃肉，还要注意吃东西的时候声音不可以太大，那样是不文明的表现。除了不挑食外，我们吃饭不能吃过量，不能爱吃什么就尽量吃，吃起来没有节制。不可以说今天饭菜好吃，就多吃；今天饭菜

不好吃、不喜欢吃，就少吃，要养成定时、定量、不挑食的好习惯，我们才能长得健康活泼，身体抵抗力才会增强。

我们现在年纪轻轻，在少年的时候，不要尝试喝酒，因为喝酒很容易上瘾，上瘾之后要戒除就很难。酒喝多了，对我们的身体有害处，且酒后丑态百出，克制不了自己的言行，常常会闯祸。除此之外，我们还不要吸烟，吸烟和喝酒一样，对身体都是有害处的。

经典故事

懂得礼仪的钟家公子

三国的时候，魏国的太傅钟繇（yóu）有两个聪明的儿子，一个叫钟毓（yù），一个叫钟会。一天，钟繇见哥俩在玩喝酒的游戏，他装着没看见不吱声。只见钟毓先起身施礼，然后举杯一饮而尽，而钟会举起杯一饮而尽，并不曾行礼。

后来钟繇问儿子："喝酒为什么要施礼？"钟毓说："饮酒是礼仪之一，所以要施礼再喝酒。"钟繇又问："喝酒为什么不施礼？"钟会回答说："偷酒喝不合乎礼，再施礼就是自欺欺人。"钟繇听了不禁笑起来，不能不点头称是。

思考讨论

为什么说小孩子不应该挑剔饮食呢？

bù cóng róng lì duān zhèng
步从容[1]，立端正，
yī shēn yuán bài gōng jìng
揖深圆[2]，拜恭敬[3]。

注释

[1]步:步行，步伐。从容:从容不迫。指行止舒缓有度，无急迫之态。 [2]揖：拱手弯腰行礼。深圆：形容作揖时把双臂拢成圆状，弯腰弯得很低。 [3]拜：古代表示敬意的一种礼节。两手合于胸前，头低到手。

译文

走路时脚步要从容不迫，站立的姿势要端正。作揖时要把身子深深地躬下，参拜时要恭敬尊重。

解读

一个有修养的孩子，坐要有坐相，立也要有立相，走路也要有走路的样子。走路时怎样走呢？要稳稳当当、从容不迫地走。如果走路很急，很匆忙，这个人的性子肯定就很急。一个人如果性子很急，就很容易与人发生冲突，以致得罪很多人。走路、说话、站立的姿势，都让人觉得你很赶，你很匆忙，这样都是不对的。站立和坐的姿势也是如此。要站如松，像松柏一样挺拔，把腰板挺直；坐如钟，像钟一样沉稳，不要左摇右摆，给人以轻浮的印象。

我们现在与人交往时已经不行作揖礼了，而是改为打招呼。打招呼我们也要发自内心，不要皮笑肉不笑，要发自内心跟对方打招呼，从内心展露出你的和悦笑容，这样才会让对方感受到你对他的尊敬和诚意。如果我们参加一些聚会，也要态度恭敬，不要蜻蜓点水，漫不经心。当祭拜祖先等要行跪拜之礼的时候，我们更要态度虔诚，一丝不苟。

经典故事

风度翩翩的张九龄

张九龄是唐朝著名的诗人，也是一位优秀的政治家。张九龄容貌清秀，平时总是衣帽整洁。走在路上，总显得风度潇洒，与众不同，总能赢得路人的目光。

每当朝廷重要的朝会时，在众人中间，他也是很显眼的，连皇帝对他的举止都赞赏不已。只要张九龄在，那里的气氛就会格外愉快，大家都乐意同他这位衣帽整洁而且又有风度的人在一走说笑、玩乐和探讨学问。张九龄由于注重仪表，给他带来了好人缘。

wù jiàn yù　　wù bǒ yǐ
勿践阈[1]，勿跛倚[2]，
wù jī jù　　wù yáo bì
勿箕踞[3]，勿摇髀[4]。

注释

[1]践：踩，踏。阈：门槛。　[2]跛：站立时重心偏于某一只脚上，古时认为这是一种不恭敬的举止。倚：靠着。　[3]箕：伸开两腿坐着，形状如同簸箕。踞：蹲坐。[4]髀：大腿。

译文

出入时不要踩到门槛，站立时要避免身子歪曲斜倚，坐着时不要双腿展开如同簸箕，不要抖脚摇腿。

解读

古时我们的房子可以说大部分都是四合院，四合院里头，每一间房一入门都有门槛，而且门槛一般都比较高。现在我们的房子建筑结构与以前大不相同，门槛已经很少见到了。可是在寺庙或者比较传统的建筑中，门槛还是比较常见。如果我们碰到这些有门槛的地方，不可以往上踏上去，然后再下来，一定要跨过去才有礼貌。

现在一般人家的房门外头都有一个踏垫，如果我们去拜访别人，在进房门之前，要在这个踏垫上踏一踏再走进去，就不会让人感觉你将灰尘、脏东西带了进去。虽然时代不同了，但是我们懂得礼节的精神应该是相同的。

我们从小还要注意自己的体态、姿势。身体不能经常歪斜，或者靠在墙壁上。如果我们靠着墙壁与人讲话，是很没礼貌的。坐着的时候两腿不要像簸箕一样张开。我们应该时刻注意自己的姿态。

经典故事

李白不拘小节惹大祸

有一次李白在宫中喝醉了，竟然伸出了脚，让坐在身旁的高力士给他脱靴子。高力士一时不知所措，只得给李白脱下靴子。但这件事让高力士耿耿于怀。

后来李白送给杨贵妃的一首诗，被高力士抓住了把柄，他向杨贵妃挑拨，说李白在诗中故意侮辱杨贵妃，杨贵妃信了高力士的话，也对李白恼怒起来。后来，唐玄宗几次想任命李白官职，都被杨贵妃阻止了。李白哪里会想到，酒后的不拘小节竟会引来如此后果。

思考讨论

在坐公交车或地铁的时候，你是否发现了一些轻浮傲慢的举动和有失君子风范的行为？在公共场所，你会如何端正自己的仪态？

huǎn jiē lián wù yǒu shēng
缓揭帘[1]，勿有声；
kuān zhuǎn wān wù chù léng
宽转弯，勿触棱[2]。
zhí xū qì rú zhí yíng
执虚器[3]，如执盈[4]；
rù xū shì rú yǒu rén
入虚室，如有人。

注释

[1]缓:缓慢。揭:揭开,掀开。帘:帘子。 [2]触:撞,碰。棱:棱角。 [3]执:拿。虚:空。器:器皿,器具。[4]盈:满。

译文

进门的时候慢慢地揭开帘子，尽量不发出声响；走路转弯时离棱角要远一点，保持较宽的距离，才不会碰到棱角伤了身体。拿空的器具要像拿盛满东西的器具一样小心。进到没人的屋子里，要像进到有人的屋子里一样守礼。

解读

我们在整理家具、搬东西的时候，尽量不要很大声。如果很大声，那就表示你的行动非常粗鄙。比如挪动椅子时，我们要搬而不要去拉，因为拉时会发出很大的声音，而且更容易破坏椅子。所以，从缓揭帘开始，我们做任何事情都应该谨慎，不应该粗鲁。细心的人，发出的声音往往微乎其微。

走路的时候，遇到有角的地方，我们要稍微与它保持一点距离，以免磕碰。有些人莽莽撞撞，不是碰到椅子，就是碰到桌子，有时候撞到墙角，难免受伤。所以自小时候起我们就要学会走路要小心，步伐要轻盈，而且做任何事情都要懂得轻盈、仔细。

在拿东西的时候，我们也要仔细。“执虚器，如执盈”，就是说，我们拿着空碗，就像端着满满的一碗水一样，要非常小心，不要让水溅出来。这告诉我们做事要专心，要一丝不苟，不要心不在焉。一旦我们大意了，往往就会做错事，造成不可挽回的损失。比如妈妈叫你端菜，你没端好，碗碎掉了，多可惜。所以从小就要养成细心、专注的精神。

古人特别注重“慎独”的修养。慎独是儒家的一个重要概念，它讲究个人道德水平的修养，看重个人品行的操守，是儒家风范的最高境界。其含义是，在独处时，自己的行为也要谨慎不苟。因此，在进到别人家房间的时候，我们一定要注意，不要乱动人家的东西。尤其是房间里面没有人的时候，我们更要注意不可以随便。越是没有人的地方，我们越应该谨慎自己的内心。我们不可以随便碰别人的东西，因为那些都是很没有修养的行为。

经典故事

杨震暮夜却金

杨震是东汉时的名士，人称“关西孔子”。大将军邓骘（zhì）听说杨震贤明，就派人征召他，推举他为秀才。杨震多次升迁，官至荆州刺史、东莱太守。他做官后，十分清廉，从不接受别人的贿赂（huì lù）。

有一次，杨震经过山东时，他的学生王密正在这里做县令。夜里，王密带着十斤黄金来见杨震，杨震坚决不要。王密说：“半夜里是没有人会知道这件事的。”杨震却说：“天知道，地知道，你知道，我知道，怎么说没有人知道呢？”王密听后十分惭愧，只好告退。从此，人们都知道杨震是一个清廉无私的人了。

思考讨论

古时候的建筑，每一间屋子的间隔，不是用门，而是用帘子的。所以古人教育自己的子女，在掀开帘子的时候，要“勿有声”，不可以动作太大，以免打到后面的人。我们现在的建筑很少有帘子，几乎都是用窗帘，那么我们在拉窗帘的时候应该注意什么呢？

shì wù máng　máng duō cuò
事勿忙，忙多错；
wù wèi nán　wù qīng lüè
勿畏难[1]，勿轻略[2]。

注释

[1]畏：怕。　[2]轻：轻视。略：简略，简单。

译文

做事不要匆匆忙忙，匆忙就容易出错。不要害怕困难而犹豫退缩，也不要因为事情简单而轻率随便、敷衍了事。

解读

我们做什么事都不要慌忙，慌忙就会紧张，越是紧张越会没有头绪，就越是错误百出。因此，我们做事之前，心里一定要先有一个计划。什么事该做，什么事不该做；什么事应该先做，什么事可以后做。千万不可以等到时间非常紧迫的时候，才匆匆忙忙非常紧张地把它完成。结果事与愿违，往往会做得不好，也很容易出差错。比方说，在考试的时候，我们碰到了一道难题，一下子想不起来该如何做了，这时候，不要慌，越慌越想不起来，而是要平心静气地先做下一道题，可能慢慢地前面那道题的答案就会想出来了。再比如，我们偶尔睡觉睡过头了，上学可能会迟到，这时候也一定不要不顾一切地向学校跑，而是要注意交通安全，宁可挨老师的批

评，也不要闯红灯。

做事情不慌的同时，我们还不该有畏难情绪，要迎难而上。在做作业碰到难题时，我们不要还没有思考就先投降，然后就把题目推到父母或者哥哥姐姐那里，请他们来帮忙。自己的事情要依靠自己来完成。洗衣服也好，叠被子也好，做运动也好，都有一个先难后易的过程，只要我们用心去做，就一定会把它做好。但是我们也不可以有骄慢的心态。一件事情，我们不能害怕它，但也不要轻视它。比方说，老师在课堂上讲解新知识的时候，即使我们已经会了，也要用心听讲，不要精神溜号，很有可能一些细微的易犯错的地方我们并没有注意到。小事不小，只有谦虚谨慎，我们才能不断进步，把事情做得更好。

经典故事

万斯同读书不畏难

清朝初期的著名学者、史学家万斯同参与编撰了我国重要的史书《明史》，但他小时候也是一个顽皮的孩子。

万斯同由于贪玩，在宾客们面前丢了面子，从而遭到了宾客们的批评。万斯同恼怒之下，掀翻了宾客们的桌子，被父亲关到了书屋里。万斯同从生气、厌恶读书，到闭门思过，并从《茶经》中受到启发，开始用心读书。

转眼一年多过去了，万斯同在书屋中读了很多书，父亲原谅了儿子，而万斯同也明白了父亲的良苦用心。经过长期的勤学苦读，万斯同终于成为一位通晓历史、遍览群书的著名学者，并参与了《二十四史》之《明史》的编撰工作。

万斯同勤学苦读

思考讨论

有人说，“成大事者不拘小节”，就是说，做大事的人，不要在乎一些细枝末节的小事，你认为这样的说法对吗？说说理由。

dòu nào chǎng jué wù jìn
斗闹场[1]，绝勿近[2]；
xié pì shì jué wù wèn
邪僻事[3]，绝勿问。

注释

[1]斗：打斗。闹：吵闹，喧扰。场：场合，场所。[2]绝：断绝，拒绝。[3]邪：邪恶。僻：邪僻，偏离正道。

译文

凡是容易发生争吵打斗的不良场所，我们要勇于拒绝，不要靠近逗留；对于邪恶偏离正道的事情，我们不要好奇地去追问。

解读

古时候有一些竞技的地方，譬如斗鸡、斗蛐蛐，这些地方非常热闹，非常繁华，但是也比较混乱，很多不法之徒往往都聚集在这里，会经常发生斗殴的现象，可以说是是非之地。古人教育子女不要去这样的地方。

我们现代社会也有很多类似这样的地方，比如说歌厅、舞厅、网吧等。这一类场所有一定的年龄限制，我们不是那个年龄段的人，一定不要去，以免受到不良影响。一些邪恶下流、荒诞不经的事也要谢绝，不听、不看，不要好奇地去追问，以免污染了善良的心性。比方说我们在看电影的时候，一些恐怖的、暴力的、淫秽的和邪恶的电影都不要去看；在玩游戏的时候，也不要玩这一类的游戏。

经典故事

尺璧寸阴

陶侃是东晋时有名的大臣，他很懂得“一寸光阴一寸金”的道理。

在他担任荆州刺史的时候，官府中的事情十分繁忙。他每天十分勤奋，抓紧一点一滴的时间，把所有的事情都办得十分妥帖。

另外，他每天都要收到所辖各地发来的各种公函。对这些公函，他每件都亲自批复。批复时，他往往手不停书，写得飞快，一行字一下子就写好了，就像水流过去一样。看到的人没有一个不惊奇的。如果有人来访，他谈话往往简单扼要，回答客人的问题简洁明晰，事情一谈好，他就下逐客令，因此府衙门口从来没有停留的客人。

陶侃不仅时间观念强、办事效率高，他还经常教育下属：“汉时有部书叫《淮南子》，书中说：‘日月一刻不停地运转，时间从不等人，所以古代的圣人把片刻的光阴看得比直径一尺的玉璧还要贵重，因为玉璧还可再得，而失去的光阴却再也不会回来了。’古代的圣人尚且珍惜光阴，我们这些凡夫俗子，更应该懂得‘一寸光阴一寸金’的道理，不要浪费时间。如果碌碌虚度时光，那简直是在犯罪。”

有一天，陶侃看到有几个官吏在玩赌博的游戏，耽误了公事，十分愤怒，说："这难道应该是你们玩的吗？快把这些赌具全部丢进长江，以绝后患。"接着，他又对每个参与赌博的官吏进行了处理。从此，那些官吏再也不敢把宝贵的时间浪费在玩乐上了。

后来，"尺璧寸阴"这一典故，用来形容时间宝贵，应该努力珍惜，不要浪费。

思考讨论

生活中一些邪恶怪僻的坏人坏事，我们除了杜绝远离之外，是不是还应该勇于斗争呢？如果是的话，我们应该注意什么呢？

jiāng rù mén wèn shú cún
将入门[1]，问孰存[2]；
jiāng shàng táng shēng bì yáng
将上堂[3]，声必扬[4]。
rén wèn shuí duì yǐ míng
人问谁，对以名[5]，
wú yǔ wǒ bù fēn míng
吾与我[6]，不分明[7]。

注释

[1] 将：将要。 [2] 孰：谁。存：存在。 [3] 堂：

房屋的正厅。　　[4]扬：提高声音。　　[5]对：回答。　　[6]吾：我。　　[7]分明：清楚，明了。

译文

将要进门之前先问一下家里有没有人；将要走进厅堂时，先提高音量，要让厅堂里的人知道有人来了。假使有人问“你是谁”，回答时要说出自己的名字，如果只说“是我，是我”，对方就听不明白到底是谁。

解读

这一条也告诉了我们一些生活礼仪，我们到任何房间，无论是好朋友的房间，还是老师的办公室，都要先敲门，问里头有没有人，千万不要冒冒失失就跑进去，这样有可能会吓人一跳，是不礼貌的。

敲门时要注意轻轻叩门，不要太重，让里头的人能听到外头有人即可。轻敲之后，里头有答话，经同意允许之后我们再进去。比如我们到老师的办公室去，进门之前，一定要说“报告”，让里头的老师知道有学生进来，然后再进去。

经典故事

孟子休妻

战国时期的思想家、政治家和教育家孟子，是继孔子之后儒家学派的主要代表人物，被后世尊奉为仅次于孔子的“亚圣”。

孟子一生的成就，与他母亲从小对他的教育是分不开的。孟母是一位集慈爱、严格、智慧于一身的伟大的母亲，在孟子年幼时，就留下了“孟母三迁”、“孟母断织”等富有深刻教育意义的故事。孟子成年娶妻后，孟母仍不断利用处理家庭生活琐事的技巧等去启发、教育他，帮他从各方面进一步完善人格。

有一次，孟子的妻子在房间里休息，因为是独自一个人，便无所顾忌地将两腿叉开坐着。这时，孟子推门进来，一看见妻子这样坐着，非常生气。原来，古人称这种双腿向前叉开坐为箕踞，箕踞向人是非常不礼貌的。孟子一声不吭就走出去，看到孟母，便说：“我要把妻子休回娘家去。”孟母问他：“这是为什么？”孟子说：“她既不懂礼貌，又没有仪态。”孟母又问：“因为什么而认为她没礼貌呢？”“她双腿叉开坐着，箕踞向人，”孟子回道，“所以要休她。”“那你又是如何知道的呢？”孟母问。孟子便把刚才的一幕说给孟母听，孟母听完后说：“那么没礼貌的人应该是你，而不是你妻子。难道你忘了《礼记》上是怎么教人的？进屋前，要先问一下里面是谁；上厅堂时，要高声说话；为避免看见别人的隐私，进房后，眼睛应向下看。你想想，卧室是休息的地方，你不出声、不低头就闯了进去，已经先失了礼，怎么能责备别人没礼貌呢？没礼貌的人是你自己呀！”

一席话说得孟子心服口服，他再也没提休妻子回娘家的话了。

思考讨论

现代家庭几乎都有电铃，我们去朋友家做客，在按电铃时，应该注意哪些细节呢？

yòng rén wù，xū míng qiú
用人物，须明求[1]，

tǎng bú wèn，jí wéi tōu
倘不问[2]，即为偷[3]。

jiè rén wù，jí shí huán
借人物，及时还；

rén jiè wù，yǒu wù qiān
人借物，有勿悭[4]。

注释

[1]明：明确，清楚。 [2]倘：如果。 [3]为：是。偷：偷窃。 [4]悭：吝惜，舍不得。

译文

我们要使用别人的物品，必须事先对人讲清楚，如果没有得到允许就拿来用，那就相当于偷窃的行为。借用他人的物品用完了要立刻归还。别人向我们借用物品，我们如果有，就不要吝惜。

解读

这几句讲的也是基本的社交道理。我们在用人家的物品时，一定要先征询主人的同意。不要先拿，然后再讲，这是非常不礼貌的。如果主人不在，我们更不可以随便拿用主人的东西，那样就如同是偷窃。比如我们要用同学的铅笔或尺子，一定要先问过同学，然后再使用；再比如我们想玩哥哥姐姐的玩具，都要得到他们的同意才行。不然就是不尊重主人，那样会惹得主人很不高兴。

当主人把东西借给我们以后，我们一定要记得及时归还。不可以借了然后就忘记或故意不还，那样就是没有信用，我们以后想再借时，就会有困难。借到的东西一定要加倍爱惜，不要损坏。如果我们不小心把人家的东西弄坏了，不要假装不知道就把东西送还回去，而是要给人家赔偿，还要赔礼道歉，这才是讲诚信守信用的表现。

经典故事

卜式仗义疏财

俗话说商人重利，自古至今，一贯如此。但在中国西汉时期，有一位不很重利的爱国商人，他就是卜式。

卜式是汉武帝时期的洛阳人，以牧羊为生。由于他不怕苦，不怕累，日夜与羊群相伴，仔细观察羊群，所以，他的羊群很少发生群体疾病，每只羊都膘肥体壮，羊群也越来越大，他的家产也不断增多。

有一年，山东发生水灾，大量灾民需要救助，朝廷一时捉襟（jīn）见肘（zhǒu）。卜式得知后，就把自己的钱捐出来以救灾民。汉武帝在捐钱救灾名单中看到了卜式的名字，觉得卜式的确是个仗义疏财的爱国爱民之人，大为感动，于是对其封官赐钱，而卜式坚决推辞。汉武帝便让他去管理上林苑的羊群。一年后，卜式把羊养得膘肥毛亮，汉武帝看后非常高兴，就问卜式牧羊之道。卜式不仅讲了养羊的心得，还将之与为官之道相联系。汉武帝感到非常惊奇，便任命他为缑（gōu）氏县令。卜式到任后，勤政爱民，政绩显著。

一个靠牧羊发家致富的商人，发财不忘国家，在国家困难时，主动拿出大量家产为朝廷分忧，在百姓受难时能出钱救助，并且完全不加任何条件，实在难能可贵。

思考讨论

每个人都会有不时之需，都会有求借别人物品的时候。如果有人向我们借东西，我们应该怎么做？

第五章 信

fán chū yán xìn wéi xiān
凡出言[1]，信为先[2]，
zhà yǔ wàng xī kě yān
诈与妄[3]，奚可焉[4]！

注释

[1]凡:凡是。出言:说话。 [2]信:信用，诚信。先:首要，第一。 [3]诈:欺诈，欺骗。妄:虚妄，不真实，没有根据。 [4]奚:什么，哪个。可:可以。焉:用于句尾，表示陈述或肯定，相当于“呢”。

译文

凡是开口说话或者做事，首先要讲究信用。欺诈不实的言语或行为，那怎么能行呢?

解读

中国有句古话叫“人无信则不立”，意思是说一个人如果不讲信用就没有办法在社会上立足。可见，诚信对我们来说是多么重要！所以我们在与人交往的过程中，在说话办事的时候，一定要以诚信为先。没有能力做到的事不能随便答应。一旦答应了，就定要遵守承诺，履行诺言。

经典故事

晏殊守信

北宋词人晏殊，一直因为诚实被人称道。在他十四岁时，有人把他作为神童举荐给皇帝。皇帝召见了他，并要他与一千多名进士同时参加考试。结果晏殊发现试题是自己十天前刚练习过的，就如实向真宗报告，并请求改换其他题目。宋真宗非常赞赏晏殊的诚实品质，便赐给他“同进士出身”。

晏殊当职时，正值天下太平。于是，京城的大小官员便经常到郊外游玩或在城内的酒楼茶馆举行各种宴会。晏殊家贫，无钱出去吃喝玩乐，只好在家里和兄弟们读写文章。有一天，真宗提升晏殊为辅佐太子读书的东宫官。大臣们惊讶异常，不明白真宗为何做出这样的决定。真宗说：“近来群臣经常游玩饮宴，只有晏殊闭门读书，如此自重谨慎，正是东宫官合适的人选。”晏殊谢恩后说：“我其实也是个喜欢游玩饮宴的人，只是家贫而已。若我有钱，也早就参与宴游了。”

这两件事，使晏殊在群臣面前树立起了信誉，而宋真宗也更加信任他了。

思考讨论

你答应借给小刚玩具枪，可是昨天你已经答应把它借给小明了，现在无论借给谁，都怕其中一个人不高兴，这时候你该怎么办呢？

huà shuō duō　bù rú shǎo

话说多，不如少，

wéi qí shì　wù nìng qiǎo

惟其是[1]，勿佞巧[2]。

kè bó yǔ　huì wū cí

刻薄语[3]，秽污词[4]，

shì jǐng qì　qiè jiè zhī

市井气[5]，切戒之[6]。

注释

[1]惟:只要,一定。是:正确。　[2]佞:花言巧语。巧:虚浮不实。　[3]刻薄：苛刻冷淡，待人处事挑剔、无情。[4]秽:脏。　[5]市井气:指像街市上的商贩一样油嘴滑舌、粗俗市侩（kuài）。市井，街市。　[6]切：一定要。

译文

话说得多不如说得少，讲话时一定要实事求是，不要花言巧语、虚浮不实。尖酸刻薄的言语、肮脏不雅的词句及无赖之徒粗俗的口气，都一定要戒除掉。

解读

古人说，“言多必失”，又说“祸从口出”，意思是说我们话说多了一定会有过失，往往就会闯祸。因此，我们不要一天到晚胡乱说话，因为话传来传去，讲来说去，到最后可能变质了。可能我们不经意的一句话，到最后惹出很大的麻烦。很多口角是非，可能就是因为不小心说错了一句话引起的。所以，我们要时刻记住：话多不如话少，话少不如话好。

说话要恰到好处，该说的就说，不该说的绝对不说，立身处世应该谨言慎行，谈话内容要实事求是，不要花言巧语，好听却靠不住。在和同学或伙伴在一起时，要多讲一些勉励的话，不要讲讽刺挖苦的话，“闲谈莫议人非”，在闲谈时不要谈论其他人的不是，在背后说人家的坏话是非常不道德的。还要注意的是，在讲话的时候，不要太尖酸苛刻，“恶语伤人恨难消”，如果我们用不好的言语去伤害别人，往往让他觉得非常痛苦。

经典故事

诸葛瑾片言解难

诸葛瑾是三国时期孙权手下的大臣，平时话不多，但常常在紧要关头，几句话就能解决问题。

有一次校尉殷模被孙权误解，要被杀头，众人都向孙权求情，只有诸葛瑾一言不发。孙权问：“为什么子瑜（诸葛瑾字子瑜）不说话？”诸葛瑾说：“我与殷模的家乡遭遇战乱，所以才来投奔陛下。现在殷模不思进取，辜负了您，还求什么宽恕呢？”短短几句话，孙权就感到殷模不远千里来投奔自己，即使有过错也应该原谅，于是就赦免了殷模。

思考讨论

小利是你的好朋友，可是他经常当着你的面说脏话，并认为这是和你很亲近的象征。你很不习惯，想给他提建议，你应该怎么说呢？

jiàn wèi zhēn wù qīng yán
见未真[1]，勿轻言；

zhī wèi dí wù qīng chuán
知未的[2]，勿轻传[3]。

shì fēi yí wù qīng nuò
事非宜[4]，勿轻诺[5]，

gǒu qīng nuò jìn tuì cuò
苟轻诺，进退错。

注释

[1]见：看见、听见的。真：真切。　[2]知：知道，了解。的：确切，真实。　[3]传：传播，散布。[4]宜：合宜，合理。　[5]诺：承诺，答应。

译文

任何事情在没有看到真相之前，不要轻易发表意见；对事情了解得不够清楚明白时，不可以任意传播，以免造成不良后果。不合情理的事情，不要轻易答应，如果轻易允诺，就会使自己进退两难。

解读

在与人交际中，尤其在言语方面一定要特别谨慎小心。一件事情，如果看得不是很真切，了解得不是很明确，就不可以妄加揣测，然后轻易地把话传开。传开之后，话就会愈传愈离谱。很可能我们不经意的一句话，就会影响一个人的声誉，让这个人非常难过。有的时候，即使我们看到的是真实的情况，所明白的是事情的真相，也不可以轻易地讲出来。我们一定要有头脑，讲话之前一定要想一想，这句话讲了之后，它会不会伤害别人，会不会破坏团结。如果会，就别讲。千万不可以为所欲为，看到什么讲什么。看到别人好像不对，就不分青红皂白讲出去，讲出去会害对方，对自己也很不好。

我们不乱讲话，除了不传播流言蜚语，还表现在不轻易做出承诺上。如果别人求我们做一件事，我们一定要想一想：这件事应不应该做？是否违反纪律？是否违反道德？如果是那样的话，我们就不要轻易答应人家。一旦答应，就做也不是，不做也不是。做了于情于理不合，我们就犯了错误；不做，我们就是失信于人。

经典故事

季子挂剑

季子，名叫札，是春秋时代吴国国君寿梦的小儿子。季子挂剑的故事，发生在吴王余祭四年春天。

当时季札奉命出使鲁国，接着又访问郑国、卫国、晋国。

季札赠剑

途中路过徐国，受到徐国国君的热情招待。徐国的国君看到季子佩带的宝剑，非常喜爱。他嘴上虽然没说，可脸上的表情却显示着很想得到这把剑。季札因为还要佩带宝剑出使中原各国，所以没将宝剑献给徐君，但心里已经决定，回程时一定将宝剑献给徐君。

当年秋天出使各国后，季札又路过徐国，而徐君已经去世，埋葬在徐国都城的郊外。可是，季札还是要解下宝剑赠给徐国的嗣君。随从急忙劝阻：“此剑是吴国之宝，不可以赠人。”季札回答说：“当日路过，徐君观剑，口虽不言，脸上的表情却显示着爱剑之意。那时，我已决定回来再献。如今他故去了，我不献剑，即是欺骗自己，为一把剑而自欺，正直的人不会这样做。”于是季札把剑挂在徐君墓地的树上，行礼之后，便踏上归国之路。

思考讨论

欣欣在考试时让壮壮给他送答案，壮壮认为这是作弊，就疾言厉色地批评了欣欣。欣欣觉得非常没面子，哭着跑开了。你认为壮壮做得对吗？为什么？

fán dào zì zhòng qiě shū
凡道字[1]，重且舒[2]，
wù jí jí wù mó hu
勿急疾[3]，勿模糊。

注释

[1]凡：凡是。道字：说话。道，说。　　[2]重：指声音清楚有力。舒：舒缓。　　[3]疾：急，迅速。

译文

讲话时要口齿清晰，咬字应该清楚有力，慢慢讲，不要太快，更不要模糊不清。

解读

一个人的学识、水平和修养都可以从讲话中体现出来，所以我们应该从小注意自己的谈吐，培养讲话的能力。我们在说话时，一定要注意以下几个方面：一是要吐字有力，声音有一定的力度；二是要不疾不徐，娓娓道来；三是要话语流畅，把重点讲出来，让人明白。

总之，我们说话一定要能够达意，把我们要表达的意思清楚完整地表达出来，不要说得太快太急或者说得字句模糊不清，让人听得不清楚或会错意。

经典故事

裴秀举止有礼

裴秀是西晋时期的一位大臣，从小就勤奋学习，从不放过任何一个机会。裴秀出身于一个官僚贵族家庭，所以家中常常有客人来访。家中每次宴请客人时，母亲总是有意让他去端饭送菜，服侍客人。裴秀也特别珍惜这样的机会。在接待过程中，裴秀总是言语虔诚，举止有礼，借机和客人交谈几句。客人们见他如此虚心懂礼，也都很喜欢他。由于裴秀拥有优雅的谈吐，所以他的名声很快就传开了。

裴秀有礼

思考讨论

我们在课堂上回答老师的提问，或者在接打电话的时候，在语言谈吐方面应该注意什么？

bǐ shuō cháng cǐ shuō duǎn

彼说长[1]，此说短[2]，

bù guān jǐ mò xián guǎn

不关己[3]，莫闲管[4]。

注释

[1]彼：那个。 [2]此：这个。 [3]关：相关，涉及。[4]莫：不要。闲：与正事无关的。管：过问，干预。

译文

遇到别人谈论他人的是非好坏时，如果与己无关，听听就算了，要有智慧判断，不要受影响，不要介入是非，不要多管闲事。

解读

我们小孩子，应把心思用在学业上，不要三五成群地聚在一起讲别人的闲话。如果有人和我们讲起别人的是非，我们也一定不要插话，更不要把这个是非扩散。有时候，我们刚好听到别人讲的是我们的亲人，或者是我们的好朋友，就会觉得很难过。所以不听其他不好听的话，不听闲言是非，不但可以让我们耳根清净，而且心也会很安宁，不受这些闲言碎语的困扰。

因此没事的时候，我们应该多读书，或者学一些才艺，千万不要把宝贵的时间浪费在一些无意义的闲聊当中。

经典故事

董仲舒“三年不窥园”

董仲舒是汉朝著名的学者，为了能够潜心学习，他整天钻在书房里，什么事情也不过问，吃的、穿的也不像别人那么讲究。据说在他家的旁边有一个菜园，然而，由于学习过于刻苦，董仲舒三年之中竟没有踏进过那个菜园一步。所以后人说他“三年不窥园”。

经过不懈的努力，董仲舒后来成为我国古代著名的思想家。这和他专心学习、不为杂事所累的精神是分不开的。直到今天，他的这种精神仍值得读书人学习。

思考讨论

有人认为“不关己，莫闲管”，也有人认为这是一种没有社会责任心的自私行为。你是怎么看的呢？

jiàn rén shàn jí sī qí
见人善[1]，即思齐[2]，
zòng qù yuǎn yǐ jiàn jī
纵去远[3]，以渐跻[4]。
jiàn rén è jí nèi xǐng
见人恶[5]，即内省[6]，
yǒu zé gǎi wú jiā jǐng
有则改，无加警[7]。

注释

[1] 善：好处，优点。 [2] 齐：看齐。 [3] 纵：纵然，即使。去：距离。 [4] 渐：慢慢地，一点一点地。跻：达到。 [5] 恶：坏处，缺点。 [6] 省：反省，检讨。 [7] 警：警戒，提醒。

译文

看见他人的优点，心中就升起向他看齐的好念头，纵然目前还差得很远，只要肯努力就能渐渐赶上。看见别人的缺点或不良的行为，心里先反省自己，如果也犯同样的过错，就立刻改掉，如果没有就更加警觉不犯同样的过错。

解读

古人讲究“见贤思齐”，这教导我们应该有健康和积极的心态。当我们看到别人有优点，做好事或取得好成绩的时候，我们就应该赞美他，学习他，争取赶上他，不可以心胸狭隘，嫉妒他，甚至诋毁他。尽管我们和别人的差距可能很大，但只要我们坚持不懈地努力，就一定能够逐渐缩小差距，一点一点地赶上来。反之，如果我们心态不正，不是去奋力追赶，而是望着人家的背影冷嘲热讽，那么我们和人家的差距就会越来越大。

看到别人有缺点的时候，我们也不要去指责他，嘲笑他，而是要反躬自省，检讨自己是否也有这些缺点。如果有，我们就要立刻改正；如果没有，我们也要提高警惕。比如有的同学喜欢说脏话，有的不讲卫生，有的不爱完成作业，这些缺点，我们都要时刻提醒自己，不要沾染。

思考讨论

在我们周围，有的同学比我们学习好，我们该怎么办？

wéi dé xué wéi cái yì
惟德学[1]，惟才艺[2]，
bù rú rén dāng zì lì
不如人，当自砺[3]。
ruò yī fu ruò yǐn shí
若衣服[4]，若饮食，
bù rú rén wù shēng qī
不如人，勿生戚[5]。

注释

[1] 惟：只有。德：品德。学：学问。　[2] 才：才能。艺：技艺。　[3] 砺：钻研，磨炼。　[4] 若：至于。　[5] 戚：忧愁，悲伤。

译文

每一个人都应当重视自己的品德、学问和才能技艺的培养，如果感觉到有不如人的地方，应当自我勉励，奋发图强。至于穿着或者饮食不如他人，则不必放在心上，更没有必要忧虑自卑。

解读

我们应该不断提升自己的德行，不断提高自己的文化知识水平。我们和小伙伴在一起的时候，不要贪图物质享受，和他们攀比吃的、穿的、住的和用的这些虚荣的、外在的东西。

人的能力有限，而欲望无穷，是永远也满足不了的。中国有句古话叫“知足者常乐”，就是说我们只有降低自己的欲望，懂得满足，才会更舒坦，更快乐。而且，快乐不是建立在物质生活上的，一杯清茶，看看书，或者听听音乐，这样的生活已经非常惬意，已经是相当快乐。所以，我们吃的喝的不如人家，我们穿的衣服鞋子不如人家，我们的书包文具不如人家，这都没关系，没有什么值得羞耻的。真正值得羞耻的是我们的学习成绩不如人家，我们的才干不如人家，我们的品行不如人家。这是因为我们不如人家用心，不如人家勤奋，所以才落后于人了。这时候，我们一定要自我勉励，刻苦用功，争取早日赶上那些德、才、艺高过我们的人。

经典故事

颜渊安贫乐道

颜回，字子渊，也叫颜渊。传说孔子有学生三千人，其中最出名的有七十二人，而颜回又是孔子最得意的门生之一。颜回的一举一动，在孔子看来，都合乎心意。所以孔子常常以颜回的事例来教育其他学生。

有一次，孔子对学生们说："贤哉，回也！一箪食，一瓢饮，在陋巷，人不堪其忧，回也不改其乐。贤哉，回也！"意指：贤德啊，颜回吃的是一小筐饭，喝的是一瓢水，住在穷陋的小房中，别人都受不了这种贫苦，颜回却仍然不改变向道的乐趣。贤德啊，颜回！

孔子十分赞赏颜回的这种品德。然而这究竟是一种什么样的品德呢？孔安国说，这是"安于贫而乐于道"。

还有一次，鲁哀公问孔子："在你三千多学生中，谁最好学？"孔子说："有颜回者好学，不迁怒，不贰过。不幸短命死矣！"意指：颜回最爱学习。他遇着发怒的时候，能做到随发随化，从不转移到别人身上去；有了错误就改，决不重犯。不幸短命死了。

颜回二十九岁头发尽白，四十岁就过世了。孔子为他的短命感到非常悲痛。

思考讨论

有人认为，“知足者常乐”是不思进取的一种表现。你怎么看呢？

wén guò nù wén yù lè
闻过怒[1]，闻誉乐[2]，
sǔn yǒu lái yì yǒu què
损友来[3]，益友却[4]。
wén yù kǒng wén guò xīn
闻誉恐，闻过欣[5]，
zhí liàng shì jiàn xiāng qīn
直谅士[6]，渐相亲[7]。

注释

[1] 闻：听到。过：指责，批评。 [2] 誉：称赞。乐：喜悦，高兴。 [3] 损：损害。来：来至，到来。 [4] 却：退却，离开。 [5] 欣：欣慰，快乐。 [6] 谅：诚信。 [7] 亲：亲近。

译文

如果一个人听到别人说自己的缺点就生气，听到别人称赞自己就欢喜，那么坏朋友就会来接近你，真正的良朋益友反而逐渐疏远退却了。反之，如果听到他人的称赞，不但没有得意忘形，反而会自省，唯恐做得不够好，继续努力；当别人批评自己的缺失时，不但不生气，还能欢喜接受，那么正直诚信的人，就会渐渐喜欢和我们亲近了。

解读

古人讲究“闻过则喜”。我们在和朋友相处的时候，不要总喜欢听称赞自己的好话，不喜欢听批评自己的话。因为人很难明白自己哪里有过失，如果总听好话，我们就永远也看不到自己的过失，我们的缺点也得不到改正。而且，只有相交到一定程度的朋友，才会出于好意说一些规劝我们的话，如果我们不能接受朋友的规劝，没有这样的雅量来接纳，那么真正对我们有教益的朋友就会渐渐离开我们，一些对我们有害的朋友就会接近我们。

因此，我们不要结交那些只懂得吃喝玩乐的酒肉朋友，而是要结交那些学习用功、思想好、品德好的朋友。当我们听到有人赞美我们的时候，一定不要骄傲自满，而是要有恐惧感，检点一下自己是否还有做得不够的地方。当听到有人批评我们的缺点错误的时候，要感到高兴才对，因为这有利于我们改进自己、完善自己。我们能做到这一点，那些正直的、诚信的、有品行的人才会愿意和我们做好朋友。

经典故事

晏子辞退管家

晏子是古时名人，律己甚严。他有个管家叫高纠，办事勤勤恳恳，任劳任怨。但是他在晏子家只干了三年，就被晏子辞退了。

府上的人都感到突然，疑惑不解。有一个人忍不住跑去问晏子："高纠给您管了三年家，办事谨慎，又一向顺从您的意思，您没给他任何赏赐，也没给他任何官职，怎么倒把他辞退了呢？请问，他犯了什么错？"

晏子笑了笑说："他错就错在一向顺从我啊！你知道，世上没有一个人能不说一句错话，不办一件错事。像我这样的人，修养很差，粗陋无知，错误一定更多。假如左右亲近的人都不指出我的错误，我怎么能提高自己的品德呢？可是高纠在我身边做了三年事，只知道顺从逢迎，有时明知我错了，也不指出来。就为这个，我把他辞退了。"

晏子是当时的宰相，地位很高，可是他却非常喜欢听别人说自己的过错，以提高自己的品德。我们也应该学习晏子"闻誉恐，闻过欣"的正确态度。

思考讨论

小强在学校里犯了错误，老师很严厉地在班级里批评了他。小强觉得非常生气，认为老师在大庭广众下公开批评，是有意让自己难堪，就出言顶撞了老师。如果你是小强的好朋友，该怎样开导他呢？

wú xīn fēi míng wéi cuò
无心非[1]，名为错[2]；
yǒu xīn fēi míng wéi è
有心非，名为恶[3]。
guò néng gǎi guī yú wú
过能改，归于无[4]，
tǎng yǎn shì zēng yì gū
倘掩饰[5]，增一辜[6]。

注释

[1] 非：错误，不对。 [2] 名：称呼，叫做。 [3] 恶：罪恶。 [4] 归：返回，回归。 [5] 倘：如果。 [6] 辜：罪过。

译文

不是有心故意做错的，称为过错；若是明知故犯的，便是罪恶。犯了过错能勇于改正，就可渐归于无过；如果故意掩盖过错，那反而又增加一项掩饰的罪过了。

解读

“人非圣贤，孰能无过。”我们每个人都会犯错误，但错误的性质是不同的。如果错误是我们无意之中造成的，那么就是过错，性质比较轻。如果错误是我们故意去犯的，那就是有心为非作歹，性质就严重了。

不管是有心为过，还是无心为非，我们有了错误就要勇于改正。改正了我们就仍然是好孩子。如果犯了过错不知悔改，还要千方百计掩饰自己的错误，那么就是错上加错，久而久之，我们的品质就会变坏，就是一个坏孩子了。

尤其要注意的是，我们可以犯错误，但一定不要犯曾经犯过的错误。因为第一次犯错误可以原谅，第二次就不可以原谅了。还有，既然我们自己有可能犯错误，同样道理，别人也有可能对我们犯下过错。这时候，我们应该有容人之量，给人改过自新的机会。不要得理不饶人，把人往死角里逼，那也是不对的。

经典故事

曹操割发代首

三国时，有一次，曹操率领士兵们去打仗。那时候正好是小麦快成熟的季节。出发前，曹操警告将士不许毁坏麦田，否则杀头不赦。曹操骑在马上，望着一望无际的金黄色麦浪，心里十分高兴。正当曹操骑在马上边走边想问题的时候，突然从路旁的草丛里窜出几只野鸡，从曹操的马头上飞过。曹操的马没有防备，被这突如其来的情况吓惊了。它嘶叫着狂奔起来，跑进了附近的麦子地。

等到曹操使劲勒住惊马，地里的麦子已经被踩倒了一大片。看到眼前的情景，曹操把执法官叫了来，十分认真地对他说："今天，我的马踩坏了麦田，违犯了军纪，请你按照军法给我治罪吧！"

听了曹操的话，执法官犯了难。按照曹操制定的军纪，踩坏了庄稼，是要治死罪的。可是，曹操是主帅，军纪也是他制定的，怎么能治他的罪呢？想到这里，执法官对曹操说："丞相，按照古制'刑不上大夫'，您是不必领罪的。"

"这怎么能行？"曹操说，"如果大夫以上的高官都可以不受法令的约束，那法令还有什么用处？何况这糟蹋了庄稼要治死罪的军令是我下的，如果我自己不执行，怎么能让将士们去执行呢？""这……"执法官迟疑了一下，又说："丞相，您的马是受到惊吓才冲入麦田的，并不是您有意违犯军纪，踩坏庄稼的，我看还是免于处罚吧！"

曹操很坚决地说："不！你的理不通。军令就是军令，不能分什么有意无意，如果大家违犯了军纪，都去找一些理由来免于处罚，那军令不就成了一纸空文了吗？军纪人人都得遵守，我怎么能例外呢？"执法官头上冒出了汗，他想了想又说："丞相，您是全军的主帅，如果按军令处置，那谁来指挥打仗呢？再说，朝廷不能没有丞相，老百姓也不能没有您呐！"

众将官见执法官这样说，也纷纷上前哀求，请曹操不要

处罚自己。曹操见大家求情，沉思了一会儿说："我是主帅，治死罪是不适宜。不过，不治死罪，也要治罪，那就用我的头发来代替我的首级（即脑袋）吧！"说完他拔出宝剑，割下了自己的一把头发。

思考讨论

有人认为，曹操"割发代首"的行为很虚伪，你同意这种说法吗？为什么？

第六章　泛爱众

fán　shì　rén　　jiē　xū　ài
凡　是　人[1]，皆　须　爱[2]，
tiān　tóng　fù　　dì　tóng　zài
天　同　覆[3]，地　同　载[4]。

注释

[1]凡是：只要是。　[2]须：应该。　[3]覆：覆盖。　[4]载：承载。

译文

只要是人，就是同类，不分族群、人种、宗教信仰，皆须相亲相爱。共享一片蓝天，同有大地承载，应该不分你我，互助合作。

解读

儒家讲求“仁者爱人”。一个人无论富贵贫贱、高矮胖瘦、黑白美丑，都和我们一样是生活在地球上的人类。我们面对的都是同一片蓝天，所以人与人之间应该和睦共处，相亲相爱。

我们应该从小就学会去关怀爱护别人，就像我们头顶的

苍天与脚下的大地一样，绝对没有私心，不论种族、国界，不论好人坏人、聪明愚笨、尊贵贫贱，都一样给予保护和承载，有一颗仁慈的心。比方说，在班级里，我们就不要歧视成绩或身体不如我们的同学；在生活中，我们也不要看不起生活境况不如我们的穷人。推而广之，我们还要爱护一切花草树木和动物，不要去伤害它们。

只要每个人都这么去做了，我们的生活环境一定会更加美好，我们也会生活得更加幸福。

经典故事

孙叔敖杀蛇

孙叔敖是春秋时期楚国的政治家，他小时候，一天在村外玩耍时，突然发现了一条两头蛇。孙叔敖大吃一惊，因为他听说两头蛇是不祥之物，谁见到它就会死去。孙叔敖刚想躲开，转念一想：自己看见它就够倒霉了，要是留着它，别人见了也会倒霉的。于是他就把两头蛇砸死深埋了。

孙叔敖回到家里后，哭着把自己的遭遇告诉了母亲。母亲听了孙叔敖的话，笑了："孩子，你死不了，因为在危险时还想着别人的人是不会轻易死掉的。"

思考讨论

中国古代大思想家孟子认为，爱应该是有差别等级之分的。比方说，我们对父母的爱和对朋友的爱就是有远近亲疏的区别的。如果不分区别地像爱父母一样爱其他人，就是无父无母的禽兽行为。你认同孟子的观点吗？为什么？

xíng gāo zhě míng zì gāo
行高者[1]，名自高[2]，
rén suǒ zhòng fēi mào gāo
人所重[3]，非貌高[4]。
cái dà zhě wàng zì dà
才大者[5]，望自大[6]，
rén suǒ fú fēi yán dà
人所服[7]，非言大[8]。

注释

[1]行：品行，德行。高：高尚，比人高。 [2]名：名气，名望。自：自然。 [3]重：看重，敬重。 [4]貌：外表，容貌。 [5]才：才能。 [6]望：名望。 [7]服：佩服。 [8]言：言语。

译文

品行高尚的人，名望自然高超。大家所敬重的是他的德行，不是外表容貌。才能大的人，声望自然大。人们所欣赏佩服的，是他的才干，而不是因为他很会说大话。

解读

我们在社会上生活，都希望受到别人的推崇与尊重。怎样才能做到这一点呢？是因为我们比别人富有吗？是因为我们比别人有权势吗？是因为我们长得比别人帅吗？是因为我们话说得比别人漂亮吗？都不是的。其关键原因在于品德好、涵养好、学习好、能力好。这样我们说话办事才有威望，才让人信服。

因此，我们在平时一定要注意培养自己的德行，提升自己的能力，增加自己的才学，不要过多地讲究穿戴、打扮。如果我们衣着华丽，而言语粗俗、品格低下，那一样也是被人看不起的。要注意的是，光有才干或是光有品德也是不行的。有才无德不好，有德无才也不好。所以，我们一定要从自身做起，做一个品学兼优的好孩子、好学生。

经典故事

晏子使楚

春秋时期，齐国和楚国都是大国。有一回，齐王派大夫晏子出使楚国。楚王知道晏子身材矮小，就叫人在城门旁边开了一个五尺来高的洞。晏子来到楚国，楚王叫人把城门关了，让晏子从这个洞钻进去。晏子看了看，对接待他的人说：“这是个狗洞，不是城门。只有访问狗国，才从狗洞进去。我在这儿等一会儿。你们先去问个明白，楚国到底是个什么样的国家。”接待的人立刻把晏子的话传给了楚王。楚王只好吩咐打开城门，把晏子迎接进去。

晏子见了楚王。楚王瞅了他一眼，冷笑一声，说：“难道齐国没有人了吗？”晏子严肃地回答：“这是什么话？我国首都临淄住满了人。大伙儿把袖子举起来，就是一片云；大伙儿甩一把汗，就是一阵雨；街上的行人肩膀擦着肩膀，脚尖碰着脚跟。大王怎么说齐国没有人呢？”楚王说：“既然有这么多人，为什么打发你来呢？”晏子装着很为难的样子，说：“你这一问，我实在不好回答。撒点谎吧，怕犯了欺骗大王的罪；说实话吧，又怕大王生气。”楚王说：“实话实说，我不生气。”晏子拱了拱手，说：“敝国有个规矩，访问上等的国家，就派上等人去；访问下等的国家，就派下等人去。我最不中用，所以派到这儿来了。”说着他故意笑了笑，楚王只好赔着笑。

楚王安排酒席招待晏子。正当他们吃得高兴的时候，有两个武士押着一个囚犯，从堂下走过。楚王看见了，问他们：“那个囚犯犯了什么罪？他是哪里人？”武士回答说：“犯了盗窃罪，是齐国人。”楚王笑嘻嘻地对晏子说：“齐国人怎么这样没出息，干这种事儿？”楚国的大臣们听了，都得意洋洋地笑起来，以为这一下可让晏子丢尽脸了。哪知晏子面不改色，站起来，说：“大王怎么不知道，淮南的柑橘又大又甜。可是橘树一种到淮北，就只能结又小又苦的枳，还不是因为水土不同吗？同样的道理，齐国人在齐国能安居乐业，好好地劳动，一到楚国，就做起盗贼来了，也许是两国的水土不同吧。”楚王听了，只好赔不是，说：“我原来想取笑大夫，没想到反让大夫取笑了。”

从这以后，楚王再也不敢以貌取人、不尊重晏子了。

思考讨论

小军小时候患有小儿麻痹症，走路时一瘸一拐的。但他学习很好，工作能力也强。一次班会上，班级里要推选班长。小军很想参加竞选，可是又担心身体残疾，怕被同学们嘲笑。作为小军的知心朋友，你该怎么开导他呢？

jǐ yǒu néng wù zì sī
己 有 能[1]，勿 自 私[2]；
rén yǒu néng wù qīng zǐ
人 有 能，勿 轻 訾[3]。

注释

[1] 能：才能，能力。 [2] 自私：指只为自己考虑打算，只顾个人利益。 [3] 轻：轻视。訾：非议，毁谤。

译文

自己有了才能和能力，不要自私保守，要肯于用自己的才能去帮助别人；看到别人有才华，应该多加赞美肯定，不要因为嫉妒而贬低非议别人。

解读

每个人的能力都是有限的。我们的本领即便再大，也不会是全知全能的，总有我们不知道的知识和办不到的事情，总要寻求他人的帮助。既然我们有困难的时候，别人能无私地帮助我们，同样道理，当我们有能力帮助别人的时候，也应该尽自己所能去帮助他们。一个人不能太自私，那样我们就不会有朋友，就会非常孤立。

同时，我们也要有良好的心态，不要嫉贤妒能。如果别人成绩比我们好，能力比我们强，我们应该学习、欣赏、赞叹他们，而不是批评、妒忌和毁谤人家。在我们周围，总会有很多人比我们强，有的人体育比我们好，有的人学习比我们好，有的人品德比我们好，这时候，我们就应虚心向他们学习；也总会有人不如我们，这时候我们就应该去帮助他们，而不应该去轻视和嘲笑他们。

能做到这一些，并不像说起来那样容易，它需要我们有非常宽广的心胸，既能够雪中送炭，又能够成人之美，我们一定要向这个方向努力。

经典故事

黄羊举贤

春秋时期，晋国中军尉祁（qí）黄羊由于长年征战，腿脚落下毛病，向晋平公提出辞职申请。晋平公知道祁黄羊很有才能，便向他请教说："南阳县缺个县令，谁可以担任这个职务呢？"

祁黄羊回答说："解（xiè）狐可以担任。"

平公说："解狐不是你的仇人吗？"

祁黄羊回答说："君王问的是谁可以去担任这个职务，不是问谁是我的仇人呀！"

平公称赞说："好！"于是任命解狐为南阳县的县令。解狐果然非常称职，很受老百姓称赞。

过了一段时间，平公又问祁黄羊说："京城里缺个军尉，谁可以担任这个职务呢？"

祁黄羊回答说："祁午可以。"

平公说："祁午不是你的儿子吗？"

祁黄羊回答说："君王问的是谁可以担任军尉这个职务，不是问谁是我的儿子呀！"

平公说："好！"于是任命祁午为军尉。祁午果然也很称职，大家都赞扬他。

孔子听说了这件事，说："祁黄羊讲的这些话太好了！推荐外人不排除仇敌，推举自己人不回避儿子。像祁黄羊这样的人，可称得上是大公无私了。"

思考讨论

考试前，小红借了小丽的学习笔记去复习。考试结果出来后，小红的成绩竟然比小丽还高。小丽心里很不平衡，便打算不再将自己的学习笔记借给小红使用了。你认为小丽的做法对吗？为什么？

wù chǎn fù wù jiāo pín
勿谄富[1]，勿骄贫[2]，
wù yàn gù wù xǐ xīn
勿厌故[3]，勿喜新[4]。

注释

[1]谄:巴结,讨好。富:富贵的人。 [2]骄:轻视。贫:贫贱的人。 [3]厌:讨厌，厌恶。故:旧。这里指旧事物，旧朋友。 [4]新：指新事物，新朋友。

译文

不要去讨好巴结富有的人,也不要在穷人面前骄傲自大，或者轻视他们。不厌恶嫌弃旧亲戚老朋友，也不要一味喜爱新人新朋友。

解读

世事无常，今天我们贫穷，但经过坚持不懈的努力，我们完全可以在将来变得富有；今天我们有钱有势，但如果我们仗势欺人，不知道自我检点和克制，很快就会沦落到穷困潦倒的地步。所以，我们做人，就要做一个坦坦荡荡、不卑不亢的人。当我们生活好一点时，不要笑贫，不要轻视那些贫穷没落的人；当我们生活比较艰苦时，也不要去巴结有钱有权势的人，而是要有志气，发愤图强，努力向上。

除了做人要有人格，有骨气，我们还应该有情有义，不

能喜新厌旧，更不能忘恩负义。当我们有了新朋友的时候，不要忘记老朋友；当我们境遇改善的时候，不要忘记那些曾经帮助过我们的人。对人是这样，对物也是这样。我们要珍惜他们，爱惜他们。我们用的文具、玩具或者养的宠物，因为它们曾经给过我们帮助和快乐，所以也不要轻易遗弃它们。

总之，我们要不谄富骄贫，不喜新厌旧，不忘恩负义，有气节，有情义，这样我们才会受人欢迎。

经典故事

薛仁贵不忘旧交

唐贞观年间，薛仁贵尚未得志之前，与妻子住在一个破窑洞中，衣食无着落，全靠王茂生夫妇经常接济。后来，薛仁贵参军，在跟随唐太宗李世民御驾东征时，因平辽功劳特别大，被封为“平辽王”。一登龙门身价百倍之后，前来王府送礼祝贺的文武大臣络绎不绝，可都被薛仁贵婉言谢绝了。他唯一收下的是普通老百姓王茂生送来的“美酒两坛”。

一打开酒坛，负责启封的执事官吓得面如土色，因为坛中装的不是美酒，而是清水！“启禀王爷，此人如此大胆戏弄王爷，请王爷重重地惩罚他！”岂料薛仁贵听了，不但没有生气，反而命令执事官取来大碗，当众饮下三大碗王茂生送来的清水。在场的文武百官不解其意，薛仁贵喝完三大碗清水之后说："我过去落难时，全靠王兄弟夫妇经常资助，没有他们就没有我今天的荣华富贵。如今我美酒不沾，厚礼不收，却偏偏要收下王兄弟送来的清水，因为我知道王兄弟贫寒，送清水也是王兄的一番美意，这就叫君子之交淡如水。"

此后，薛仁贵与王茂生一家关系甚密，"君子之交淡如水"的佳话也就流传了下来。

思考讨论

中国有一句古话，"贫贱之交不可忘，糟糠之妻不下堂"。请你结合对《弟子规》的学习，谈谈对这句话的理解。

rén bù xián wù shì jiǎo
人不闲[1]，勿事搅[2]；
rén bù ān wù huà rǎo
人不安[3]，勿话扰[4]。
rén yǒu duǎn qiè mò jiē
人有短[5]，切莫揭[6]；
rén yǒu sī qiè mò shuō
人有私[7]，切莫说。

注释

[1]闲：空闲。 [2]事：事情。搅：打搅。 [3]安：心安。 [4]扰：打扰，干扰。 [5]短：短处，缺点。 [6]切：一定。揭：揭露，使隐瞒的事情显露。 [7]私：隐私。

译文

当他人有事，忙得没有空暇，就不要找事搅乱他；当他人身心很不安定，就不要用闲言碎语干扰他。别人的短处绝对不要揭露出来，别人有秘密不想让人知道，我们就不要说出来。

解读

我们在与人相处的时候，要能够将心比心，学会体谅别人。不要只顾到自己，而不替对方着想。当我们要找人讲话、请人帮忙的时候，一定要先注意对方是不是有空，心情是不是很好，然后再说出我们的要求。不然，我们就会给对方造成干扰，往往会惹得对方心里很不高兴。

比方说爸爸妈妈有事情正在忙的时候，我们就不要去干扰他们；小朋友心情不好的时候，我们也不要和他们开玩笑；我们要到老师或同学家做客，要事先和老师同学约定好，问他们有没有时间，不要冒冒失失地就登门拜访；房间里如果有人睡觉，我们就不要弄出声响；教室里有人在学习，我们就不要喧哗，影响别人。我们要给人打电话，也要选择时间，不要在吃饭的时间或休息的时间给人打电话。

总之，与人方便，与己方便，只有我们先体谅别人，别人才会体谅我们。

经典故事

老舍的谢客之道

老舍先生是我国的著名作家。他生前担任不少领导职务和名誉职务，工作繁忙。仰慕老舍先生为人和治学，向他求教文艺创作之道的人，自然数不胜数，老舍特别关心和爱护青年文艺工作者，对他们都诲之不倦。

在拜访老舍先生的人中，也有不少只是出于看望，联系感情，并没有什么重要的事。对这些人老舍先生也是热情接待。他先是客气地说："请坐！"然后亲自倒杯茶，递给客人，说声："请茶！"接着取出香烟、火柴："请吸烟！"最后拿出画报说："请看画报！"他一鼓作气地"四请"之后，寒暄一下，便伏案继续写作。

客人见他确实很忙，稍坐片刻，便起身告辞。如此既有礼，又有理地谢客，真是恰到好处的谢客之道。

从这个故事中，我们既可以学到老舍的处事艺术，同时也应该明白"人不闲，勿事搅"的道理。在别人没有空闲的时候，不要去打搅人家。

思考讨论

体谅别人，还体现在不乱讲别人的闲话上。每个人都会有缺点，都会有隐私。如果别人有了什么不想被人知道的短处和秘密，被你无意中知道了，你会怎么做呢？

dào rén shàn jí shì shàn
道人善[1]，即是善[2]，
rén zhī zhī yù sī miǎn
人知之[3]，愈思勉[4]。
yáng rén è jí shì è
扬人恶[5]，即是恶[6]，
jí zhī shèn huò qiě zuò
疾之甚[7]，祸且作[8]。

注释

[1]道：说，宣扬。善：善行。　[2]善：行善。　[3]之:代指“道人善”这件事。　[4]愈:更加。勉:勉励，努力。　[5]扬：宣扬。恶：缺点过错。　[6]恶：作恶。　[7]疾：厌恶，憎恨。甚：厉害。　[8]且：将要。

译文

赞美别人的善行，就等于是自己行善，对方如果知道了，就会更加勉励行善；宣扬别人的过错恶行，就等于自己作恶，如果过分地憎恶，就会招来灾祸。

解读

我们做人要隐恶扬善，如果有人做了好事，我们一定要多加宣传，让更多的人知道。人们知道了以后，就会生出效法之心，这样就会把善的一面扩散。因此，多多宣扬别人的善举，本身就是在做好事。

我们身边的朋友如果有乐于助人的行为被我们知道了，我们一定要广为宣传，这既是在宣传美德，也是在勉励自己的朋友，让他们再接再厉，继续去做好事。如果我们在电视或书报刊上看到了好人好事，也要乐于把这些好人好事讲给自己的朋友和同学听，让大家都受到教益。

如果我们受了别人的帮助，更要记得人家的恩惠，懂得感恩，把人家的善行说出来，让大家知道。当我们有机会和能力帮助别人的时候，也要记得人家是如何帮助我们的，尽力地去回报他们。

经典故事

逢人说项

唐朝时期，江东有个年轻的读书人项斯，字子迁，到京城参加科举考试。他生性旷达，洒脱不羁，诗写得特别好。但是他没有什么名气，于是就拿着自己的诗去拜见国子祭酒杨敬之。杨敬之读了他的诗，非常喜欢，就写诗赠他："几度见诗诗总好，及观标格（风度）胜于诗。平生不解藏人善，到处逢人说项斯。"

从此，项斯的诗名就流传开来，整个长安城都知道了。没多久，他就被主考官录取为进士。

思考讨论

在我们身边，总有我们喜欢的人和不喜欢的人。有的人和我们合得来，我们就和他们做朋友。如果有的人和我们合不来，我们该怎么办呢？

shàn xiāng quàn[1]，dé jiē jiàn[2]，
善相劝[1]，德皆建[2]，
guò bù guī[3]，dào liǎng kuī[4]。
过不规[3]，道两亏[4]。

注释

[1]善相劝:即“相劝善”。劝，劝勉。　[2]德:德行。建:建立。　[3]过:过错。规:规劝。　[4]道:道义，道理。亏:亏欠。

译文

朋友之间应该以善行互相规劝，共同建立良好的品德修养。如果有错不能互相规劝，两个人的品德都会有缺陷。

解读

我们在和朋友相处的时候，如果看到朋友有过失，应该怎么办呢？是听之任之吗？当然不是。我们应该尽朋友的本分，去劝说他们改过自新。同样，当我们有缺点错误，被朋友指出来的时候，我们也要非常高兴地接受意见，并加以改正。

如果看到朋友有过错，却因害怕得罪朋友而不加以规劝，那么一方面朋友的过失得不到改正，道德日益沉沦；另一方面我们眼睁睁地看着朋友沦落而不帮助他，也没有尽到朋友的职责。这样双方的道德就都有了亏欠，我们作为别人的朋友就是不合格的。

经典故事

“仁义胡同”的由来

明朝时，东鲁地方有个姓董的人在京城做官。常年在外，他最盼家中平安。一日，他接到家中来信。读完之后，得知家中因盖房砌墙一事与邻居发生了争执，闹得不可开交，要他出面干预。这位董公很快写了回信，请人捎回。家中人见信大喜，以为有当官的家主出头，一定能斗败对方。谁知拆开信一看，见上面写着四句诗：“千里捎书只为墙，不禁使我笑断肠；你仁我义结近邻，让出两墙又何妨。”家里人开始有点儿失望，仔细一想，觉得这几句话言之有理。于是，董家在砌墙时主动让出了一些地方。邻居见此情景，深感惭愧，也主动让出一些地方，结果两家墙砌好后，中间形成了一条八尺宽的过道。这过道后来被人称为“仁义胡同”。

董公在家人与邻居闹矛盾的时候，不是仗势欺人，而是规劝自己的家人懂得谦让，结果“善相劝，德皆建”。由于董公的仁义之言，邻里双方的品德都得以保持。“仁义胡同”就是这种德行的最好见证。

思考讨论

你能说说“规劝”和“指责”的区别吗？当朋友有了过失时，我们是应该规劝呢，还是应该指责呢？为什么？

fán qǔ yǔ guì fēn xiǎo
凡取与[1]，贵分晓[2]，
yǔ yí duō qǔ yí shǎo
与宜多[3]，取宜少。
jiāng jiā rén xiān wèn jǐ
将加人[4]，先问己，
jǐ bú yù jí sù yǐ
己不欲[5]，即速已[6]。

注释

[1]取：拿取。与：给予。　[2]分晓：分辨清楚。晓，清楚。　[3]宜：应该。　[4]加：施加，强加。　[5]欲：愿意。　[6]速：立即，迅速。已：停止。

译文

财物的取得与给予，一定要分辨清楚，给予别人的应该多，索取别人的应该少。事情要加到别人身上之前（要托人做事），先要问问自己，如果连自己都不喜欢，就要立刻停止。

解读

在生活中，我们难免和人有财物上的往来。这时候，我们一定要分清楚，哪些是自己该拿的，哪些是自己不该拿的，哪些是自己应该送给别人的。不能稀里糊涂，不分你我，随便拿用别人的东西，在财物面前，不能有太强的占有心，宁可多给别人，自己少拿一些，这样才能广结善缘，与人和睦相处。

比方说在和家人一起吃饭的时候，如果见到好吃的东西，我们不要毫不客气地夹在自己的碗内，应该让给爷爷奶奶、爸爸妈妈或是哥哥姐姐；自己有了好玩的东西，也要拿出来和伙伴们一同分享；别人有东西要给我们的时候，我们要尽量拿得少一些，不要太贪，更不要主动向人家要这要那。

当我们想让别人做某件事情的时候，如果这件事是连自己也不愿做的，那就不要强人所难。大教育家孔子曾经说过，“己所不欲，勿施于人”，就是要告诉我们这个道理。比方说，当我们学习的时候，需要一个安静的环境，不希望有人喧闹，那么我们就不要在别人学习的时候大嚷大叫去干扰别人；我们不想被人欺负，就不要去欺负别人；我们爱干净，就不要弄脏人家的衣服；我们不想受到伤害，就不要说难听的话去伤害别人，等等。

总之，我们不希望不好的事情、不好的言语加在自己的身上，以同理之心，我们就要想到别人的感受，也不应该这样加诸别人。

经典故事

孔融让梨

孔融是孔子的第二十代孙，生于东汉末年。孔融弟兄七人，他排行第六。

孔融四岁那年，盛夏的一天午后，他的父亲命仆人从树上摘下几个梨，放在桌上，招呼大家都来尝一尝。这日天气奇热，又鲜又嫩的梨正好解渴。孔融的几个哥哥见了梨，都高兴得跳了起来，争先恐后地跑到桌边去挑选大梨。

孔融却站在父亲的身旁不动，等到几个哥哥选过之后，他才不慌不忙地走过去，选了一个最小的梨。他父亲感到很奇怪：为什么那几个孩子都挑大的，唯独这个孩子只挑最小的呢？父亲抚摸着孔融的头问："融儿，还有这么多大梨你不挑，为什么专挑一个最小的呢？"

孔融回答说："我年纪最小，所以挑个儿最小的，大的让给哥哥们吃。"

全家人见孔融小小年纪就懂得谦让，又聪明伶俐，都很喜欢他。

"与宜多，取宜少"，孔融在四岁的时候就懂得这个道理，实在是不简单。

思考讨论

我们已经懂得了"己所不欲，勿施于人"的道理，那么"己之所欲，施之于人"对不对呢？为什么？

孔融让梨

ēn yù bào yuàn yù wàng
恩欲报[1]，怨欲忘[2]，
bào yuàn duǎn bào ēn cháng
报怨短[3]，报恩长[4]。

注释

[1]恩：恩情。欲：想要，希望。报：回报，报答。 [2]怨：仇怨，怨恨。 [3]短：指时间短。 [4]长：指时间长。

译文

受人恩惠要时时想着报答，别人有对不起自己的事，应该宽大为怀把它忘掉。报怨之心停留的时间越短越好，但是报答恩情的心意要长存不忘。

解读

我们在人世间生活，总有太多的人帮助过我们，关怀过我们，所以我们要懂得感恩。爸爸妈妈辛辛苦苦把我们养大，老师教给我们文化知识和做人的道理，农民伯伯提供给我们吃饭的粮食，工人叔叔提供给我们穿的、住的和用的，我们的国家给我们创造了良好的生活环境，这些都是对我们的恩德，我们要铭记不忘，时刻想着报答。

当然，也会有人有意无意间得罪过我们，伤害过我们，但我们不该老是把这样的事情放在心上，应该宽大为怀，原谅他们。如果我们总是生活在愤愤不平、经常抱怨的状态之中，就会很痛苦，就会偏激，就会做错事。事实上，人与人之间并没有什么深仇大恨，所谓的仇怨不过是一些鸡毛蒜皮的小事，我们想开些，丢开也就算了。

经典故事

不计恩怨、宽容大度的刘伯温

刘伯温自幼聪颖异常，他的老师曾对他父亲说："你祖德深厚，日后这个孩子必成大器。"元至顺年间，刘伯温考中进士，授为高安丞，获得廉洁正直的名声。上级长官要提升他，刘伯温谢绝离去。后来，刘伯温凭其才学和神机妙算辅佐朱元璋平定天下，开创了大明王朝。

朱元璋即位后，刘伯温上奏制定军卫法，整肃纲纪，凡有过错的宿卫、宦官等，一律依法惩治，因此人人畏惧刘伯温。中书省都事李彬因贪图私利，纵容手下而被治罪。丞相李善长一向私宠李彬，故请求从轻发落，刘伯温不听，将李彬杀死，从此刘伯温和李善长结了仇。后来，太祖因事要责罚丞相李善长，刘伯温劝说道："他虽有过，但功劳很大，威望很高，不要罢他的官。"太祖说："他三番五次想要加害于你，你还设身处地为他着想？我想改任你为丞相。"刘伯温叩首道："这怎么能行呢？更换丞相如同更换梁柱，必须用粗壮结实的大木，如用细木，房屋立即就会倒塌。"

刘伯温不计个人恩怨，以国事为重的品格给朱元璋留下了深刻印象。

思考讨论

如果老师在课堂上狠狠地批评了你，让你无地自容，而事实上是老师错怪了你，这时候你会怎么做呢？

dài bì pú　shēn guì duān
待婢仆[1]，身贵端[2]，

suī guì duān　cí ér kuān
虽贵端[3]，慈而宽[4]。

shì fú rén　xīn bù rán
势服人[5]，心不然[6]；

lǐ fú rén　fāng wú yán
理服人[7]，方无言[8]。

注释

[1]婢仆：婢女和仆人。婢：被人役使的女子。仆：被雇佣受差遣的人。　[2]端：端庄。　[3]虽：即使。　[4]慈：仁慈，慈爱。宽：宽大，宽厚。　[5]势：权势。　[6]然：以为……对，同意。　[7]理：道理，事理。　[8]方：才。言：话。这里指怨言。

译文

对待家中的婢女与仆人，要注重自己的品行端正并以身作则。即使品行端正，还要仁慈宽大。如果仗势强逼别人服从，对方难免口服心不服。唯有以理服人，别人才会心悦诚服没有怨言。

解读

在旧社会，有钱有势的人家都有一些供使役的人，这些人就是婢仆。我们现代社会讲求人与人之间平等相处，婢女和仆人已经不存在了。但是一些家庭也会有一些保姆和家政人员，我们应该尊重他们，和他们平等相处。不要以为自己高人一等、盛气凌人，要用一颗仁慈和宽厚的心去对待他们。他们虽然只是一名普通的劳动者，但是和我们只是分工的不同，没有地位和等级上的差别。我们当然没有理由去歧视他们。

我们在和同学或伙伴发生矛盾纠纷的时候，不要因为自己长得高大、长得强壮就蛮不讲理，动手欺负人家，这是不对的。而是要摆事实讲道理，把道理讲清楚，让对方明白他为什么是错的，这样他才会心服口服。如果我们是班干部，当然要带头遵守纪律、清洁卫生、尊重师长、按时完成作业，只有这样，才能在班级里起到表率作用。

经典故事

蔺相如“理”服廉颇

战国时，廉颇和蔺相如同在赵国做官。廉颇战功卓著，被封为上卿，而蔺相如在出使秦国后，也被封为上卿，地位在廉颇之上。廉颇很不服气，想羞辱蔺相如。蔺相如知道后，总是刻意回避廉颇，以免发生冲突。他说：“秦国所以不敢派兵攻打赵国，就是因为有我们两个人在。如果我们将相相斗，国家就危险了。”

廉颇知道后，感到很惭愧，就脱了上衣，背着荆条到蔺相如门前谢罪。从此两人成了同生死、共患难的朋友。

思考讨论

婢仆是封建社会的产物，现代社会虽然废除了婢仆制度，但是上下等级的关系仍然存在。如果你是一个部门的主管或是一个单位的领导，你会怎样对待自己的下属？

第七章　亲　仁

tóng shì rén，lèi bù qí

同是人，类不齐[1]，

liú sú zhòng，rén zhě xī

流俗众[2]，仁者稀[3]。

guǒ rén zhě，rén duō wèi

果仁者[4]，人多畏[5]，

yán bú huì，sè bú mèi

言不讳[6]，色不媚[7]。

注释

[1]类：类别，种类。　[2]流俗：指世俗之人。众：众多。　[3]仁者：有仁德的人。　[4]果：果真，果然。　[5]畏：敬畏。　[6]讳：隐讳，顾忌。　[7]色：脸色，神情。媚：逢迎，取悦。

译文

同样都是人，类别（善恶邪正，心智高低）却是良莠（yǒu）不齐。世俗之人很多，有仁德的人却很稀少。对于一位真正的仁者，大家自然敬畏他，因为仁者说话不会故意隐讳、扭曲事实，脸色态度也不会故意向人谄媚求好。

王烈赠布

解读

同样都是人，但是人与人之间是不一样的。就像十个手指头有长有短，山间的树木有高有低一样，人与人之间的道德修养有高有低，品性有好有坏。一般来说，世俗平庸的人占了大部分，但是真正有仁德、有才学的人却很少。这就涉及我们到底做什么人的问题。我们应该努力做一个德智体美劳全面发展的好孩子，而不是不思进取、甘于平庸，做一个各个方面表现都很一般的人。

经典故事

王烈赠布

三国时有一个叫王烈的读书人，在当地很有威望。有一个人偷了别人一头牛，被失主捉住了。偷牛的人说："我一时鬼迷心窍，偷了你的牛，你怎么罚我都行，只求你不要告诉王烈。"这话传到王烈耳朵里，他立即托人赠给偷牛人一匹布。有人不理解，王烈解释道："做了贼而不愿让我知道，说明他有羞耻之心，我送布给他是为了激励他改过自新。"

后来，这个曾经偷牛的人果然痛改前非，不再做贼，而且变成了一个乐于助人、拾金不昧的好人。

思考讨论

你心目中新时代的"仁者"是什么样的？

néng qīn rén[1]，wú xiàn hǎo，
能亲仁[1]，无限好，

dé rì jìn[2]，guò rì shǎo[3]。
德日进[2]，过日少[3]。

bù qīn rén，wú xiàn hài，
不亲仁，无限害，

xiǎo rén jìn[4]，bǎi shì huài[5]。
小人进[4]，百事坏[5]。

注释

[1] 亲：亲近。仁：有仁德的人。 [2] 日：日渐。进：进步。 [3] 过：过错。 [4] 小人：指人格卑下、道德品质不好的人。进：进入，靠近。 [5] 百事：指很多事情。“百”表示虚指。坏：败坏，坏事。

译文

能够亲近有仁德的人，向他学习，就会得到无限的好处，自己的品德自然日渐进步，过错也跟着减少。如果不肯亲近仁人君子，就会有无穷的祸害，小人会乘虚而入，跑来亲近我们，结果什么事情都会弄得一败涂地。

解读

我们交朋友的时候，要选择那些品德好、才学好的人，并虚心向这样的人学习。总和这样的人在一起，我们就会渐渐学习到他们的优点，渐渐地改正自己的错误。总和一些不

思进取、品德败坏的人做朋友，久而久之，我们就会受到他们的影响，一天天堕落下去。那样就什么事情都做不好，最终一事无成，无论做人还是做事，都是很失败的。

所以，我们如果有机会碰到好老师、好同学，一定要多和他们接近，向他们学习。

经典故事

齐桓公亲近小人惹祸殃

齐桓公是春秋时期著名的政治家，春秋五霸之首，桓公任管仲为相，推行改革，实行军政合一、兵民合一的制度，齐国逐渐强盛。但到了晚年，由于受周围环境的影响，生活开始腐败。他不专心治理国家，一心追求享受，并宠信坏人。他平时十分宠信易牙、竖刁和开方三人。易牙为了让齐桓公尝到人肉的味道，不惜把自己的儿子杀掉，以满足齐桓公的好奇心；竖刁为了亲近桓公，天天和齐桓公处在一起，竟主动阉（yān）割掉自己的生殖器，成了太监；开方为了讨好桓公，十五年不回家看望父母。

管仲对他们不近人情的行为十分反感。临死之时，叮嘱齐桓公说："像他们这样杀死自己的儿子、阉割自己的生殖器、背弃自己父母的人，是别有用心的，是靠不住的人。一定要把他们逐出宫去，否则你一定会吃他们的苦头。"管仲死后，齐桓公听从管仲之言逐三人出宫。但离开小人，桓公食不甘味，于是复召三人回宫。三人掌握了朝廷大权。后来齐桓公生了重

病，人失去了知觉。竖刁、易牙他们假托王命，把王宫用高墙围起，只留一个小洞，桓公饮食，全靠小太监从洞里送入。但很快连饭也不送了，桓公在饥饿中悲惨死去。

桓公死后，他的几个儿子忙于争夺王位，直到六七日后才在老臣的建议下发丧。那时，桓公尸体已腐烂不堪，虫蛆（qū）爬出户外，恶臭难闻。齐国霸业随之衰落。

思考讨论

有人说，“近朱者赤，近墨者黑”；也有人说，“近朱者未必赤，近墨者未必黑”。这两种看法，你赞成哪一种呢？为什么？

第八章　行有余力，则以学文

bú lì xíng　dàn xué wén
不力行[1]，但学文[2]，
zhǎng fú huá　chéng hé rén
长浮华[3]，成何人！
dàn lì xíng　bù xué wén
但力行，不学文，
rèn jǐ jiàn　mèi lǐ zhēn
任己见[4]，昧理真[5]。

注释

[1]力：尽力。行：实行，实践。　[2]但：只。文：文化知识，典章文献。　[3]长：增长。浮华：华而不实。浮，虚浮。华，华丽。　[4]任：任凭，听任。己见：一己之见。指自己的见解或主张。　[5]昧：蒙蔽。理：道理。真：真正的。

译文

不能身体力行孝、悌、谨、信、泛爱众、亲仁这些本分，一味死读书，纵然有些知识，也只是增长自己浮华不实的习气，怎能为人典范！反之，如果只重力行，却不肯研究学问，就容易依着自己的偏见做事，蒙蔽了真理。

解读

我们学习世间的任何一门学问，都要有恒心，有毅力。只有努力学习，我们才能懂得其中的道理，才能够精通它。光是在书本上学习还不够，还要能够身体力行，把自己学过的东西应用于实践，这样才能收到良好的效果。如果我们懂得了一个道理，却不去实行它，那么就和不懂没有什么两样。我们都懂得要尊敬师长，孝顺父母，但我们不去这样做，那么和不懂有什么区别呢？老师告诉了我们数学题的算法，但我们不勤加练习，又怎么能够掌握呢？所以，关键在于行动，在于实践和练习！要把我们所学过的知识和道理落实到实际行动当中去，不然我们就是一个光说空话、不做实事的人，就是一个华而不实的人。

当然，我们在实际行动的时候，也不要放松了学习。随着年龄的增长，我们的理解力越来越强，以前我们所掌握的知识就会不够用了。如果我们放弃了学习，自以为这样就够了，那么对于很多事情的义理所在，我们就没有办法进一步地深入，从而也就没有办法掌握真理。所以，我们应该不断地学习，不断地实践，再学习，再实践，把自己塑造成一个完美的人。

经典故事

读死书的刘羽冲

从前有一个叫刘羽冲的人，他非常爱看书，也非常相信古书上的学问。他认为，只要是书上写的，就一定是正确的，从不根据实际情况考虑问题。

一天，他看到一本讲修水利的书，就苦读了一年，并画了水利图，到州官那儿讲了修水利的好处。州官就让他去修水利，他不看农田水势，不问以往的降雨情况，也不听当地农民的意见，就叫人按他画的水利图动工。可是渠道刚使用，就被汹涌的大水冲垮了，农田也被淹没了。

思考讨论

你认为在书本中学习与在生活中实践哪一个更重要？为什么？

dú shū fǎ yǒu sān dào
读书法[1]，有三到[2]，
xīn yǎn kǒu xìn jiē yào
心眼口，信皆要[3]。
fāng dú cǐ wù mù bǐ
方读此[4]，勿慕彼[5]，
cǐ wèi zhōng bǐ wù qǐ
此未终[6]，彼勿起[7]。

注释

[1]法:方法。 [2]到:达到,到位。 [3]信:实在。要:需要。 [4]方:才。 [5]慕:羡慕，向往。[6]终:结束，完成。 [7]起:兴起，开始。

译文

读书的方法要注重三到，即心到、眼到、口到。这三到都要实实在在地做到。这本书才开始没读多久，就不要想着又去读其他的书。这本书还没读完，另一本书就不要拿出来，读书要用心专一。

解读

我们读书学习，也要讲究方法。如果不讲究方法，即使花了很多时间，也不会取得好的成绩。

应该用什么样的读书方法呢？就是要掌握三个要领，即眼睛看，口中念，心中体会揣摩。换句话说，就是要聚精会神，专心致志。此外，还要有恒心，有毅力，有始有终，不能虎头蛇尾，半途而废，那样我们什么也学不好。

我们更不能三心二意，在学语文的时候，去想数学；在学数学的时候，又去想英语。这样三心二意的，我们就不能定下心来，结果什么东西也没有学好。

经典故事

赵普读《论语》

宋太祖时，赵普任中书令。因为他小时候读书少，所以在处理奏章的时候经常出错，于是他便在晚上勤学苦读。

有一天晚上，宋太祖前去看他，见赵普正在挑灯夜读《论语》，十分奇怪，就问他："《论语》是儿童们读的书，你怎么还在读它？"赵普说："我小时候读《论语》只是认字，现在，我是从《论语》中学习齐家、治国、平天下的道理。"宋太祖高兴地说："你可真正地读懂《论语》了。"

思考讨论

孔子在总结学习和思考的关系时说："学而不思则罔，思而不学则殆。"你能说说其中的道理在哪里吗？

kuān wéi xiàn jǐn yòng gōng
宽为限[1]，紧用功[2]，
gōng fu dào zhì sè tōng
工夫到，滞塞通[3]。
xīn yǒu yí suí zhá jì
心有疑，随札记[4]，
jiù rén wèn qiú què yì
就人问[5]，求确义[6]。

注释

[1]限：期限。　[2]紧：抓紧。　[3]滞塞：停滞阻塞。[4]札：古代用来写字的小木片。记：记录。　[5]就：走近，趋向。　[6]确：确切。义：意义，含义。

译文

在制订读书计划的时候，不妨把期限定得宽松一些；实际执行时，就要加紧用功，严格执行。只要工夫到了，滞塞难懂的地方自然就能通达了解。心中有困惑疑问，就用笔把问题记下来，时时向人请教，求解确切的含义。

解读

我们读书学习时，不能拿起书本就乱读一气，而是要有一定的计划和安排。每天该学什么，学多长时间，要有一个计划，一旦制订了计划，就要严格执行，不能偷懒。我们现在年龄还小，还不大会制订计划。所以爸爸妈妈和老师会给我们布置一些作业，这实际上就是在替我们制订学习计划。所以我们一定要按时完成作业，不要把今天的作业留到明天去做。

在我们读书学习的过程中，有了什么疑问时，不要轻易地放过，而是先要动脑想一想，自己能解决的尽量自己解决，如果自己实在想不清楚，就一定要向老师、同学或爸爸妈妈请教，直到把问题弄清楚、想明白了才可以。如果可以请教的人不在我们身边，一定要勤快一些，把这些疑问记录下来，以免遗忘，等有机会了再向师长们请教。我们最好准备一个笔记本，专门记录自己的疑问，把我们想不通和容易犯错的题目记下来，免得忘记。如果能这样坚持下来，久而久之，我们的学习成绩一定会非常优秀的。

经典故事

利用一切时间勤奋读书

鲁迅是我国伟大的文学家、思想家和革命家。他出身于一个破落的封建家庭。少年时代，鲁迅的父亲身患重病，小小年纪的他便承担起成人的责任。他一面上私塾读书，一面帮着母亲料理家务。因为他“把一个坚定的信念深深地刻在心里”，在尽力帮助母亲料理家务的同时，争分夺秒、勤奋刻苦地读书。

少年时代的鲁迅，每天从三味书屋放学回家，吃完晚饭后，先把桌子擦干净，把手洗干净，然后拿出书来，一页一

三味书屋

页翻着阅读。一本绘图的《山海经》，他不仅反复阅读，而且把书上的画全部临摹下来。后来，为了给父亲看病，虽然天天奔走于当铺和药铺之间，但他丝毫没有放松自己的学习，总是利用一切可以利用的时间刻苦读书。

鲁迅的家不太富裕。他十分爱读书，但又没钱买更多的书，于是他就学习古人，借书来抄。他小时候就抄了许多关于草木虫鱼之类的读物。后来在南京矿路学堂读书时，又抄了许多自然科学书籍。到了晚年，他把时间抓得更紧。不管斗争多么紧张，环境多么恶劣，身体多么不好，他仍然坚持不懈地学习。

思考讨论

你制订了自己的学习计划了吗？说说你近期的学习计划是怎样的。

fáng shì qīng qiáng bì jìng
房室清[1]，墙壁净，

jī àn jié bǐ yàn zhèng
几案洁[2]，笔砚正[3]。

mò mó piān xīn bù duān
墨磨偏[4]，心不端[5]，

zì bú jìng xīn xiān bìng
字不敬[6]，心先病[7]。

注释

[1]室：房间，书房。清：清洁。 [2]几：小或矮的桌子。案：长形的桌子，书桌。 [3]砚：砚台，写毛笔字磨墨用的文具，多数用石做成。正：端正。 [4]墨：磨墨用的墨条。 [5]端：端正。 [6]敬：尊重，恭敬。这里是字写得工整的意思。 [7]病：缺点，毛病。

译文

书房要整理清洁，墙壁要保持干净，书桌要清洁干净，笔和砚台要摆放端正。在砚台上磨墨时如果墨条磨偏了，就是存心不够端正；写字时如果字体歪歪斜斜不工整，就表示你浮躁不安，心定不下来。

解读

我们读书学习时要给自己创造良好的学习环境。我们的书房、卧室都要保持干净。不要在自己的书桌和墙壁上乱写乱画，书桌上的书和文具要摆放整齐。这样不但使用起来方便，还可以让我们心情愉快。古人写字时要用砚台磨墨，我们现在已经基本上不使用了，但我们同样应该保持书写工具的整齐有序。比方说我们的铅笔要削得很整齐，橡皮和尺子要摆放端正。如果我们使用钢笔，要注意不要把墨水弄脏了手指等等。写字时同样也要一笔一画，不能潦草。

这些细节都反映了我们的学习态度是否端正，如果做不到，就说明我们心浮气躁，学习态度不端正。在家里是这样，在学校也要这样，我们要和同学们一起维护教室的清洁，把课桌和书包整理得井然有序，使自己保持一个良好的精神面貌和学习心态。

经典故事

陈蕃扫屋

陈蕃是东汉时期的著名学者，年轻时独居一室，日夜攻读，想要干出一番惊天动地的大事。一天，他父亲的朋友薛勤前来拜访，看见他的住处杂草丛生，纸屑满地，十分凌乱。

他不解地问道：“孩子，屋子这么脏，你怎么不打扫打扫呢？那样宾客看到不是要好些吗？”陈蕃理直气壮地回答说：“我的手是用来扫天下的。”薛勤反问道：“连一间屋子都不扫，怎么能够扫天下呢？”陈蕃一听，脸红了，马上打扫房屋，招待客人。

思考讨论

“扫一屋”和“扫天下”之间有必然的联系吗？请说说你的看法。

一屋不扫，何以扫天下

liè diǎn jí yǒu dìng chù
列典籍[1]，有定处，
dú kàn bì huán yuán chù
读看毕[2]，还原处。
suī yǒu jí juàn shù qí
虽有急[3]，卷束齐[4]，
yǒu quē huài jiù bǔ zhī
有缺坏[5]，就补之[6]。

注释

[1]列：排列。典籍：泛指古今图书。 [2]毕：完毕。[3]虽：即使。 [4]束：捆，绑。齐：整齐。 [5]缺：残缺。坏：损坏。 [6]就：立即。

译文

书籍课本应分好类，排列整齐，放在固定的位置，阅读完毕应该归还原处。即使发生紧急的事也要先收拾整齐以后才能离开。遇到书本有残缺损坏时，应立刻补好保持完整。

解读

端正的学习态度还表现在爱书护书上。我们自己的学习用书和爸爸妈妈的书要区分开，不要放在一起。在放书的时候，一定要把书排列好，把它们放置整齐。而且书籍的摆放要有固定的位置，否则就会出现经常找书的情形。看书之前，我们还要洗一下手，以免把书弄脏。当然，更不要在书本上乱写乱画，把书的页角折来折去，这些都会缩短书籍的寿命。

把书看完之后，一定要放回原位，使下次再用的时候找起来方便。即使我们很着急，要赶时间，也不能把书一丢就跑出去，而是要把书收拾好再离开。如果我们不小心把书弄坏了，一定要立即用胶水或胶带把书补好，以免图书破坏得更严重。我们自己的图书要懂得爱护，公家的图书更要爱护。

经典故事

鲁迅先生爱书如命

在鲁迅先生的全部生活内容里，书籍占着重要的地位，他被人称为“爱书如命”的人。

幼年时期的鲁迅，看书以前，总是要先把手洗干净了，然后才捧书阅读，以免把书弄脏，造成损坏。

成年以后，鲁迅一直把读书、买书、借书、抄书、修书作为极大的乐趣和事业。对稀有的好书，他就亲自动手翻印，装订成册。

在鲁迅博物馆里，陈列着一盒修书的工具，那是一些简单的画线仪器，几根钢针，一团丝线，几块砂纸以及两块磨书用的石头。鲁迅就是用这些极其平常的东西，使得他珍藏的一万多册图书历久常新，没有一册出现污损、破散的情况。

鲁迅先生一向乐意把书借给别人看，特别是青年学生。但是，归还时如果书面上有了破边卷角等损坏的情况，他是会不高兴的。对于那种不爱护书的借阅者，鲁迅宁愿把书送给他，也不忍看到那本被蹂躏（róu lìn）过的原书再转回来。

鲁迅先生常把一些好书主动寄赠给需要用的人。每当把书送出去时，他总是非常仔细地包扎妥帖。这种花在包书上的心力，是为了友人，更是为了书籍。

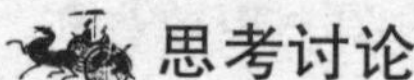

思考讨论

如果你不小心把图书馆的书给弄丢了，你该怎么办呢？

fēi shèng shū, bǐng wù shì,
非圣书[1]，屏勿视[2]，

bì cōng míng, huài xīn zhì.
蔽聪明[3]，坏心志[4]。

wù zì bào, wù zì qì,
勿自暴[5]，勿自弃[6]，

shèng yǔ xián, kě xùn zhì.
圣与贤[7]，可驯致[8]。

注释

[1] 圣：圣贤。 [2] 屏：摒弃，除去。视：看，阅读。[3] 蔽：遮蔽，蒙蔽。 [4] 志：志气，志向。 [5] 暴：糟蹋，损害。 [6] 弃：遗弃，舍弃。 [7] 圣：圣人，道德才能极高超的理想人物。 [8] 驯：逐渐地，循序渐进地。致：达到。

译文

如果不是传述圣贤言行的书籍，一概摒弃一旁不要理它，因为书里面不正当的事理会蒙蔽我们的聪明智慧，败坏我们纯正的志向。遇到困难或挫折的时候，我们不要自暴自弃，应该发愤向上努力学习，圣贤的境界虽高，但只要循序渐进，也是可以达到的。

解读

我们要用功读书，但是不是天下所有的书都能看呢？不是的。好的书可以让我们受益良多，不好的书会掩盖我们的聪明和智慧，污染我们的心志，破坏我们内心的纯净。所以，我们读书一定要有选择，不能不分良莠，拿起来就读。

当我们正处于求学年龄的时候，尽量读一些和我们学的课程相关的书。其他的书可能也很好，比如一些武侠小说，但它们未必适合我们现在这个年龄段去读，所以我们要学会克制，等以后有时间了再去读它们。内容低俗不堪的书，我们要把它们丢得远远的，连碰都不碰它们。如果我们在读书学习的过程中遭到了困难打击，一定不要灰心气馁、自甘堕落，而应对自己有信心。有志者事竟成，只要我们坚持不懈地努力，循序渐进，就一定会成就一番事业。

经典故事

陶渊明读书

晋朝大诗人陶渊明小时候读书很用功，他每天都到村外的一棵大树下读书，总要母亲去找他回家吃饭。时间一长，母亲有些不高兴了，说："读书不能不吃饭呀，难道书可当饭吃吗？"陶渊明说："母亲，您不知道，书里的味道比吃饭的味道香多了！"

有一天，有个伙伴向陶渊明求教如何读书。陶渊明说："我读书并没有什么妙法。我就像一株小禾苗，从书中一点一点吸收养分慢慢地成长起来。"

思考讨论

在古代，家长教育子女读书，只允许他们读"四书五经"等儒家的经书。古人称这些书为"圣贤书"，并且认为读了其他书之后，就会不思进取，坏了心志。以今天的观点来看，这种看法有哪些合理之处和不合理之处呢？

附　录

《弟子规》全文

总　叙

dì zǐ guī, shèng rén xùn.
弟子规，圣人训。

shǒu xiào tì, cì jǐn xìn.
首孝弟，次谨信。

fàn ài zhòng, ér qīn rén.
泛爱众，而亲仁。

yǒu yú lì, zé xué wén.
有余力，则学文。

入则孝

fù mǔ hū, yìng wù huǎn.
父母呼，应勿缓。

fù mǔ mìng, xíng wù lǎn.
父母命，行勿懒。

fù mǔ jiào, xū jìng tīng.
父母教，须敬听。

fù mǔ zé, xū shùn chéng.
父母责，须顺承。

dōng zé wēn, xià zé qìng,
冬则温，夏则凊，

chén zé xǐng, hūn zé dìng.
晨则省，昏则定。

chū bì gào, fǎn bì miàn,
出必告，反必面，

jū yǒu cháng, yè wú biàn。
居有常，业无变。

shì suī xiǎo, wù shàn wéi,
事虽小，勿擅为，

gǒu shàn wéi, zǐ dào kuī。
苟擅为，子道亏。

wù suī xiǎo, wù sī cáng,
物虽小，勿私藏，

gǒu sī cáng, qīn xīn shāng。
苟私藏，亲心伤。

qīn suǒ hào, lì wèi jù;
亲所好，力为具；

qīn suǒ wù, jǐn wèi qù。
亲所恶，谨为去。

shēn yǒu shāng, yí qīn yōu;
身有伤，贻亲忧；

dé yǒu shāng, yí qīn xiū。
德有伤，贻亲羞。

qīn ài wǒ, xiào hé nán?
亲爱我，孝何难？

qīn wù wǒ, xiào fāng xián。
亲恶我，孝方贤。

qīn yǒu guò, jiàn shǐ gēng,
亲有过，谏使更，

yí wú sè, róu wú shēng。
怡吾色，柔吾声。

jiàn bú rù, yuè fù jiàn,
谏不入，悦复谏，

háo qì suí, tà wú yuàn。
号泣随，挞无怨。

qīn yǒu jí, yào xiān cháng。
亲有疾，药先尝。

zhòu yè shì, bù lí chuáng。
昼夜侍，不离床。

sāng sān nián cháng bēi yè
丧三年，常悲咽，
jū chù biàn jiǔ ròu jué
居处变，酒肉绝。
sāng jìn lǐ jì jìn chéng
丧尽礼，祭尽诚，
shì sǐ zhě rú shì shēng
事死者，如事生。

出则弟

xiōng dào yǒu dì dào gōng
兄道友，弟道恭，
xiōng dì mù xiào zài zhōng
兄弟睦，孝在中。
cái wù qīng yuàn hé shēng
财物轻，怨何生？
yán yǔ rěn fèn zì mǐn
言语忍，忿自泯。
huò yǐn shí huò zuò zǒu
或饮食，或坐走，
zhǎng zhě xiān yòu zhě hòu
长者先，幼者后。
zhǎng hū rén jí dài jiào
长呼人，即代叫，
rén bú zài jǐ jí dào
人不在，己即到。
chēng zūn zhǎng wù hū míng
称尊长，勿呼名；
duì zūn zhǎng wù xiàn néng
对尊长，勿见能。
lù yù zhǎng jí qū yī
路遇长，疾趋揖，

zhǎng wú yán， tuì gōng lì。
长无言，退恭立。

qí xià mǎ， chéng xià chē，
骑下马，乘下车，

guò yóu dài， bǎi bù yú。
过犹待，百步余。

zhǎng zhě lì， yòu wù zuò；
长者立，幼勿坐；

zhǎng zhě zuò， mìng nǎi zuò。
长者坐，命乃坐。

zūn zhǎng qián， shēng yào dī；
尊长前，声要低；

dī bù wén， què fēi yí。
低不闻，却非宜。

jìn bì qū， tuì bì chí，
进必趋，退必迟，

wèn qǐ duì， shì wù yí。
问起对，视勿移。

shì zhū fù， rú shì fù；
事诸父，如事父；

shì zhū xiōng， rú shì xiōng。
事诸兄，如事兄。

谨

zhāo qǐ zǎo， yè mián chí，
朝起早，夜眠迟，

lǎo yì zhì， xī cǐ shí。
老易至，惜此时。

chén bì guàn， jiān shù kǒu，
晨必盥，兼漱口，

biàn niào huí， zhé jìng shǒu。
便溺回，辄净手。

guān bì zhèng， niǔ bì jié，
冠必正，纽必结，

wà yǔ lǚ， jù jǐn qiè。
袜与履，俱紧切。

zhì guān fú， yǒu dìng wèi，
置冠服，有定位，

wù luàn dùn， zhì wū huì。
勿乱顿，致污秽。

yī guì jié， bú guì huá，
衣贵洁，不贵华，

shàng xún fèn， xià chèn jiā。
上循分，下称家。

duì yǐn shí， wù jiǎn zé，
对饮食，勿拣择，

shí shì kě， wù guò zé。
食适可，勿过则。

nián fāng shào， wù yǐn jiǔ，
年方少，勿饮酒，

yǐn jiǔ zuì， zuì wéi chǒu。
饮酒醉，最为丑。

bù cóng róng， lì duān zhèng，
步从容，立端正，

yī shēn yuán， bài gōng jìng。
揖深圆，拜恭敬。

wù jiàn yù， wù bǒ yǐ，
勿践阈，勿跛倚，

wù jī jù， wù yáo bì。
勿箕踞，勿摇髀。

huǎn jiē lián， wù yǒu shēng；
缓揭帘，勿有声；

kuān zhuǎn wān， wù chù léng。
宽转弯，勿触棱。

zhí xū qì， rú zhí yíng；
执虚器，如执盈；

rù xū shì，rú yǒu rén。
入虚室，如有人。

shì wù máng，máng duō cuò；
事勿忙，忙多错；

wù wèi nán，wù qīng lüè。
勿畏难，勿轻略。

dòu nào chǎng，jué wù jìn；
斗闹场，绝勿近；

xié pì shì，jué wù wèn。
邪僻事，绝勿问。

jiāng rù mén，wèn shú cún；
将入门，问孰存；

jiāng shàng táng，shēng bì yáng。
将上堂，声必扬。

rén wèn shuí，duì yǐ míng，
人问谁，对以名，

wú yǔ wǒ，bù fēn míng。
吾与我，不分明。

yòng rén wù，xū míng qiú，
用人物，须明求，

tǎng bú wèn，jí wéi tōu。
倘不问，即为偷。

jiè rén wù，jí shí huán；
借人物，及时还；

rén jiè wù，yǒu wù qiān。
人借物，有勿悭。

信

fán chū yán，xìn wéi xiān，
凡出言，信为先，

zhà yǔ wàng，xī kě yān！
诈与妄，奚可焉！

huà shuō duō bù rú shǎo
话说多，不如少，
wéi qí shì wù nìng qiǎo
惟其是，勿佞巧。
kè bó yǔ huì wū cí
刻薄语，秽污词，
shì jǐng qì qiè jiè zhī
市井气，切戒之。
jiàn wèi zhēn wù qīng yán
见未真，勿轻言；
zhī wèi dí wù qīng chuán
知未的，勿轻传。
shì fēi yí wù qīng nuò
事非宜，勿轻诺，
gǒu qīng nuò jìn tuì cuò
苟轻诺，进退错。
fán dào zì zhòng qiě shū
凡道字，重且舒，
wù jí jí wù mó hu
勿急疾，勿模糊。
bǐ shuō cháng cǐ shuō duǎn
彼说长，此说短，
bù guān jǐ mò xián guǎn
不关己，莫闲管。
jiàn rén shàn jí sī qí
见人善，即思齐，
zòng qù yuǎn yǐ jiàn jī
纵去远，以渐跻。
jiàn rén è jí nèi xǐng
见人恶，即内省，
yǒu zé gǎi wú jiā jǐng
有则改，无加警。
wéi dé xué wéi cái yì
惟德学，惟才艺，

bù rú rén dāng zì lì
不如人，当自砺。
ruò yī fu ruò yǐn shí
若衣服，若饮食，
bù rú rén wù shēng qī
不如人，勿生戚。
wén guò nù wén yù lè
闻过怒，闻誉乐，
sǔn yǒu lái yì yǒu què
损友来，益友却。
wén yù kǒng wén guò xīn
闻誉恐，闻过欣，
zhí liàng shì jiàn xiāng qīn
直谅士，渐相亲。
wú xīn fēi míng wéi cuò
无心非，名为错；
yǒu xīn fēi míng wéi è
有心非，名为恶。
guò néng gǎi guī yú wú
过能改，归于无，
tǎng yǎn shì zēng yì gū
倘掩饰，增一辜。

泛爱众

fán shì rén jiē xū ài
凡是人，皆须爱，
tiān tóng fù dì tóng zài
天同覆，地同载。
xíng gāo zhě míng zì gāo
行高者，名自高，
rén suǒ zhòng fēi mào gāo
人所重，非貌高。

cái dà zhě wàng zì dǎ
才大者，望自大，
rén suǒ fú fēi yán dà
人所服，非言大。
jǐ yǒu néng wù zì sī
己有能，勿自私；
rén yǒu néng wù qīng zǐ
人有能，勿轻訾。
wù chǎn fù wù jiāo pín
勿谄富，勿骄贫，
wù yàn gù wù xǐ xīn
勿厌故，勿喜新。
rén bù xián wù shì jiǎo
人不闲，勿事搅；
rén bù ān wù huà rǎo
人不安，勿话扰。
rén yǒu duǎn qiè mò jiē
人有短，切莫揭；
rén yǒu sī qiè mò shuō
人有私，切莫说。
dào rén shàn jí shì shàn
道人善，即是善，
rén zhī zhī yù sī miǎn
人知之，愈思勉。
yáng rén è jí shì è
扬人恶，即是恶，
jí zhī shèn huò qiě zuò
疾之甚，祸且作。
shàn xiāng quàn dé jiē jiàn
善相劝，德皆建，
guò bù guī dào liǎng kuī
过不规，道两亏。
fán qǔ yǔ guì fēn xiǎo
凡取与，贵分晓，

yǔ yí duō，qǔ yí shǎo。
与宜多，取宜少。

jiāng jiā rén，xiān wèn jǐ，
将加人，先问己，

jǐ bú yù，jí sù yǐ。
己不欲，即速已。

ēn yù bào，yuàn yù wàng，
恩欲报，怨欲忘，

bào yuàn duǎn，bào ēn cháng。
报怨短，报恩长。

dài bì pú，shēn guì duān，
待婢仆，身贵端，

suī guì duān，cí ér kuān。
虽贵端，慈而宽。

shì fú rén，xīn bù rán；
势服人，心不然；

lǐ fú rén，fāng wú yán。
理服人，方无言。

亲 仁

tóng shì rén，lèi bù qí，
同是人，类不齐，

liú sú zhòng，rén zhě xī。
流俗众，仁者稀。

guǒ rén zhě，rén duō wèi，
果仁者，人多畏，

yán bú huì，sè bú mèi。
言不讳，色不媚。

néng qīn rén，wú xiàn hǎo，
能亲仁，无限好，

dé rì jìn，guò rì shǎo。
德日进，过日少。

bù qīn rén wú xiàn hài
不亲仁，无限害，
xiǎo rén jìn bǎi shì huài
小人进，百事坏。

行有余力，则以学文

bú lì xíng dàn xué wén
不力行，但学文，
zhǎng fú huá chéng hé rén
长浮华，成何人！
dàn lì xíng bù xué wén
但力行，不学文，
rèn jǐ jiàn mèi lǐ zhēn
任己见，昧理真。
dú shū fǎ yǒu sān dào
读书法，有三到，
xīn yǎn kǒu xìn jiē yào
心眼口，信皆要。
fāng dú cǐ wù mù bǐ
方读此，勿慕彼，
cǐ wèi zhōng bǐ wù qǐ
此未终，彼勿起。
kuān wéi xiàn jǐn yòng gōng
宽为限，紧用功，
gōng fu dào zhì sè tōng
工夫到，滞塞通。
xīn yǒu yí suí zhá jì
心有疑，随札记，
jiù rén wèn qiú què yì
就人问，求确义。
fáng shì qīng qiáng bì jìng
房室清，墙壁净，

jī àn jié，bǐ yàn zhèng。
几案洁，笔砚正。
mò mó piān，xīn bù duān，
墨磨偏，心不端，
zì bú jìng，xīn xiān bìng。
字不敬，心先病。
liè diǎn jí，yǒu dìng chù，
列典籍，有定处，
dú kàn bì，huán yuán chù。
读看毕，还原处。
suī yǒu jí，juàn shù qí，
虽有急，卷束齐，
yǒu quē huài，jiù bǔ zhī。
有缺坏，就补之。
fēi shèng shū，bǐng wù shì，
非圣书，屏勿视，
bì cōng míng，huài xīn zhì。
蔽聪明，坏心志。
wù zì bào，wù zì qì，
勿自暴，勿自弃，
shèng yǔ xián，kě xùn zhì。
圣与贤，可驯致。

后　记

有一次，偶然看到某市小学一年级的语文课本中有贺知章的《回乡偶书》一诗："少小离家老大回，乡音无改鬓毛衰。儿童相见不相识，笑问客从何处来。""衰"字加了注音 shuāi。

衰，在此处应该读 cuī，在古义中有"等级次第的差别或依次递减"的意思，如《左传·桓公二年》："故天子建国，诸侯立家，卿置侧室，大夫有贰宗，士有隶子弟，庶人工商各有分亲，皆有等衰。"引申为减少、稀疏。结合贺知章的《回乡偶书》，这里"衰"的意思当指鬓毛减少、疏落，而不是衰老的意思。再从整首绝句的韵脚来看，"衰"字与首句"少小离家老大回"中的"回"和末句"笑问客从何处来"中的"来"，这三字在"诗韵"即"平水韵"中同属灰韵。

这些属于古代文化常识性的内容，过去龆龀蒙童均能脱口成韵，如今在专业教育出版社的小学语文教材中出现这样的差错，管窥一斑，不由得让人担忧。

读错一个字音尚是小事，倘若几代人不读"四书"、"五经"、唐诗、宋词……那中华民族真的就没有了灵魂。民族没有了精神内核，没有了灵魂，如何奢谈中华民族的伟大复兴？

我们承认现代教育将中国教育的视野引向更为广阔的国际空间，带来了许多新理念，给中国教育带来了活力。但是，如何在引入国际现代教育理念和现代教育方式的同时，坚守中国具有传承价值的优秀传统文化？如何在全面实施素质教育的同时，弘扬中国文化特色以保持中国文化特有的气质？这是当前中国教育值得深入研究的问题之一。

梁启超先生曾言：“吾不患外国学术思想之不输入，吾惟患本国学术之不发明。”然而，本国学术思想之发明非一代人可以成就，须“由其民族自身传递数世、数十世血液浇灌、精肉所培壅，而始得开此民族文化之花，结此民族文化之果”。要国民热爱中国的传统文化，必须本国先民的成就有其可爱之处，而且要发扬国民精神，也当从固有的精神中有所抉发。

秋霞圃书院自2010年开始筹划编撰一套适合大众普及尤其是中小学生使用的“国学基本教材”，自小学至高中每学期能有一册在手，通过以长期渐进、系统地熏陶、滋养，使中小学生在潜移默化中亲近中国的历史与文化，并使中华传统文化在当下的社会生活中“活化”。当然这种“活化”不是简单的复古，而是在当代的语境中重新梳理中华文明的脉络，从中汲取适应时代需要、社会需要，乃至适应工业文明与后工业文明需要的养料，提炼出中华传统文化的核心价值，以此来滋养一代又一代学子，为中华民族的伟大复兴奠定基础。当然，这些愿景断非一己之力能及，而是需要几代人的不懈努力，我们所起的作用仅仅是抛砖而已。国内儒学研究领军学者之一、武汉大学国学院院长郭齐勇教授听闻我们有此愿望后鼎力支持，欣然担任本套教材的总顾问，协调资源，并为之作序；武汉大学国学院院长助理孙劲松先生、向珂博士在筹组编者队伍时提供了真诚无私的帮助。此后又蒙秋霞圃书院院长、历史学家沈渭滨，语言学家李佐丰，古典文献学者骆玉明、汪涌豪、傅杰、徐志啸等教授在谋篇布局上的悉心指点，形成了本套“国学基本教材”的框架。确定框架之后，我们邀请了武汉大学、复旦大学、华东师范大学、南开大学、中国传媒大学、中山大学、内蒙古师范大学、陕西师范大学、南通大学等高校人文学科中青年学人和江浙沪地区几位优秀的中小学语文教师参与编写。

全书成稿后，沈渭滨、王家范、骆玉明、傅杰、汪涌豪、杨国强、张觉、张新科、徐志啸、鲍鹏山等教授审读了书稿，并提出了宝贵的修改意见；86岁高龄的书法名家章汝奭先生为“国学基本教材”题写书名；《儒藏》总编撰、德高望重的北京大学教授汤一介先生为我们赠书“圣贤之道”；丰子恺先生后人为我们提供了精美而颇有意蕴的24幅漫画用作丛书封面；朱青生教授为我们提供了汉画文献用于插图；画家李永源先生逾古稀之年，为这套丛书手绘了上百幅插画；浙江古籍出版社社长杨林海先生是我故交乡党，听闻我有意筹划一套面向中小学生的“国学基本教材”丛书之后，青睐有加，多方努力协调资源，亲自落实该套教材出版的相关事宜……所有殊胜因缘，都在襄助秋霞圃书院矢志传播中华传统文化的大愿，唯有在此深揖致谢。

由于主持者与编者的学识有限，尽管悉心编校，但不足之处难免，敬请方家、读者指正，以便来年修订时，相应校正。

意见和建议可致电：021-66366439，13816808263。通信地址：上海市嘉定区南大街嘉定孔庙秋霞圃书院，邮政编码：201800，电子邮件 :qiuxiapu@163.com。

李耐儒

癸巳春于嘉定孔庙